АННА МАЛЫШЕВА

АННА МАЛЫШЕВА

Алтарь Тристана

РОМАН

АСТ
Москва

УДК 821.161.1-31
ББК 84(2Рос=Рус)6-44
М20

Оформление обложки:
Екатерина Климова

Малышева, Анна

М20 Алтарь Тристана : роман / Анна Малышева. — Москва: АСТ, 2014. — 317, [3] с. — (Остросюжетная проза Анны Малышевой).

ISBN 978-5-17-082295-9

Пропавшие шедевры порой оказываются уничтоженными. Исчезнувшие люди порой исчезают навсегда. На этот раз Александре предстоит вернуть к жизни не только давно утраченный барельеф...

УДК 821.161.1-31
ББК 84(2Рос=Рус)6-44

Глава 1

Всю ночь с крыши лилась талая вода и в водосточной трубе, проходившей прямо за окошком мансарды, ворчал и клекотал, как рассерженный ворон, нарастающий поток. Этот шум врывался в сон Александры и странным образом преображал его. Сначала она видела ворону, сидящую на письменном столе, заваленном бумагами. Птица распускала крылья и раскрывала клюв, издавая хриплые звуки. Засмотревшись на нее, художница внезапно ощущала в комнате чье-то присутствие. А обернувшись, видела стоящего у дальней стены мужчину, в котором узнавала человека, погибшего прошлой осенью[1]. Александра не испытывала страха при виде его, только печаль. Ей хотелось поговорить с ним, но она не могла произнести ни слова. Потом мужчина исчезал, и на том месте, где он стоял, оставалось лишь солнечное пятно на дощатой стене. Затем появлялся поезд, он несся по заснеженной равнине. Александра

---

[1] Читайте роман Анны Малышевой «Дом у последнего фонаря».

сидела на нижней полке, сцепив руки в замок и обхватив ими колени, и следила за тем, как за окном в темном синем небе несется полная луна. Ее зеленоватый фосфорический блеск завораживал женщину. Александра пыталась вспомнить, куда она едет, но не могла: журчащий шум колес путал ее мысли, и без того несвязные, будто чужие...

...Стук в дверь разбудил женщину, разорвав ткань ее сна, уже истончившуюся, сквозь которую все яснее пробивались звуки реального мира. Александра села в постели и, ежась, натянула на грудь покрывало. Осознав, что стук ей не приснился, женщина вскочила, натянула свитер и торопливо подошла к двери.

— Открой же! — послышалось с лестничной площадки. — Ты там жива?

Узнав голос Стаса — скульптора, который занимал мастерскую на третьем этаже заброшенного особняка, уже много лет служившего ей пристанищем, Александра немедленно отворила дверь.

Сосед, против обыкновения, был чисто выбрит. Его лицо, поразительно напоминающее лик фавна, изваянного античным скульптором, казалось свежее и даже моложе. Буйные каштановые кудри, спускавшиеся до плеч и почти не тронутые сединой, еще хранили следы мокрых зубьев расчески. Зато шрам поперек лба — память о неудачном романе и стычке с мужем соблазненной женщины — багровел особенно зловеще. Вероятно, умываясь, Стас тщательно его тер.

— Какой ты сегодня! — не удержалась Александра. — Прямо жених!

— А что же... — скульптор пожал плечами, оглядывая обширный чердак, целиком отданный под мастерскую. Его взгляд перебегал из угла в угол, цепляя груды сложенных старых холстов, кипы книг, ломящиеся от папок с бумагами полки. — Может, и женюсь еще. Ты одна?

— Как всегда.

Женщина отметила, что скульптор одет не в халат, с которым расставался лишь выходя в город. Сегодня его могучие плечи обтягивал джемпер, в вырезе Александра с изумлением узрела свежую, выглаженную рубашку. Таким элегантным она не видела Стаса никогда за многие годы их знакомства и соседства.

— У меня к тебе просьба... — помявшись, нерешительно проговорил тот. — Нижайше прошу...

— Да все, что хочешь! — озадаченная, ответила она. — Только денег у меня сейчас почти нет, но в ближайшее время ожидаю получить с одного клиента, я ему две картины чистила, глянец наводила...

— Нет, какие деньги! — отмахнулся Стас. — Деньги у меня есть, напротив, тебе же хотел предложить, за услугу. Понимаешь, я уезжаю. И может быть, надолго. Надо присмотреть за моей мастерской. Ключи я тебе оставлю.

— А Марья Семеновна?! — воскликнула Александра.

— Она тоже едет, только к родне, в Подмосковье. У нее там сестра заболела, так что нужен уход.

— Получается, я остаюсь здесь одна... — упавшим голосом проговорила женщина.

— То-то и оно. Ведь ты останешься?

Александра промолчала. Остатки сна окончательно покинули ее. Новость была убийственная.

Этот старый особняк, в самом центре Москвы, в одном из кривых переулков Китай-города, вымирал уже давно. Он находился в ведении Союза художников, и когда-то мастерские в нем считались престижными. Но время шло, здание ветшало и постепенно превращалось в трущобу. Батареи центрального отопления давно лопнули, горячей воды не было давно, а холодная едва поступала на верхние этажи. Зато в подвале ее хватало с избытком, он стоял затопленным. Первый этаж оккупировали крысы. На втором и третьем остались две условно жилые квартиры, только одна из которых была занята. Там обитал скульптор со своей домработницей, моделью, нянькой и музой, как он сам всегда ее аттестовывал, — Марьей Семеновной, суровой старухой с несгибаемым характером и железными зубами. Четвертый этаж пустовал давно — там провалились полы. Выше была лишь мансарда, которую вот уже тринадцать лет считала своим домом Александра.

Их осталось всего трое, самых упорных, неподдающихся обитателей обветшалого строения, и они бессознательно держались друг за друга. Каждый опасался, как бы не оказаться последним. Александра была свидетелем того, как один за другим исчезали владельцы мастерских. Кто-то нашел помещение со всеми удобствами, кто-то уехал из города, кто-то умер... Художница знала, как ленив и безалаберен Стас, и верила в то, что скульптор ни за что не согласится расстаться с вольной жизнью, которую вел в этом доме. Марья Семеновна, осуждавшая каждого уехавшего и даже умершего (полагая, вероятно, что последние имели выбор и распрощались с жизнью по своему малодушию и пристрастию к комфорту), не раз говаривала, что останется в доме до тех пор, пока не начнут рушиться стены. И вот, они уезжали...

— Что с тобой? — тревожно спросил Стас, наблюдавший за ее лицом. — Ты, часом, плакать не собираешься?

Александра машинально поднесла руку к лицу, коснулась век тыльной стороной ладони. Рука осталась сухой, но женщина ощущала, что слезы близко. Она и сама не ждала от себя такой эмоциональной реакции. Ей приходилось, особенно в последнее время, сталкиваться с тяжелыми испытаниями, терять близких людей, друзей, попадать в опасные передряги, из которых не всегда удавалось выйти благополучно... Но женщина не плакала, ей казалось, что она просто разучилась это делать. Очень давно, с тех самых пор, как четырнадцать лет назад переступила порог этой мансарды вслед за своим мужем, художником, давно уже покойным... Именно в пору жизни с ним она и усвоила простой урок — слезы ничем не помогут.

Но сейчас художница была готова разрыдаться. Стас, как многие мужчины, боялся женских слез.

Видя состояние соседки, он заторопился и преувеличенно бодрым тоном произнес:

— Ну, так договорились? Присмотришь за моим хозяйством? Ключи — вот... — Он почти насильно вложил ей в ладонь три ключа на кольце. — Деньги я оставил там, на столе, войдешь и увидишь...

— Постой, ты уезжаешь прямо сейчас?! — воскликнула она.

— Да, вещи уже отнес в машину. Меня ждет друг, на улице. Подкинет в аэропорт.

— Куда же ты?

— В Черногорию. На натуру, понимаешь.

— Какая натура... — протянула женщина. — Твоя натура — это бюсты богатых покойников да надгробные памятники, с их же портретами... Все вдохновение — дома, не сходя с места!

Именно изготовление памятников и доставляло скульптору основной и часто немалый доход. «Для себя» он творил мало и обычно бросал работу неоконченной, отвлеченный то очередным заказом, то запоем, то романом с юной моделью или скорбящей по утраченному мужу клиенткой. Стас оскорбленно дернул чисто выбритым подбородком:

— Ну да, конечно, я ремесленник, деляга, а ты — адепт чистого искусства! Давно писала что-то? Все чужие картинки реставрируешь или бегаешь по Москве, всякую дрянь перепродаешь.

— И не скрываю этого! — заносчиво ответила Александра. — Кто бы говорил про чистое искусство!

— Так отказываешься, что ли?

Женщина перевела дух и заставила себя успокоиться. «Стоит ли ругаться? Не нам с ним упрекать друг друга. Оба вынуждены зарабатывать деньги. Но он уедет, и я останусь одна во всем доме...»

Эта мысль ее ужасала. Она подняла глаза на Стаса, стоявшего в выжидательной позе, чуть подавшись вперед.

— А что же Марья Семеновна, уже уехала?

— Утром еще. Отправил ее малой скоростью на историческую родину. Поскрипела своими кащеевыми зубами, но сдалась. Так присмотришь?

— Идет, — вздохнула женщина, опуская ключи в карман висевшей на спинке стула куртки. — Что же делать...

— Тогда у меня будет к тебе еще поручение! — оживился Стас. — Сделай милость, выручи по-дружески! Придет клиентка, может, даже сегодня, забрать заказ. Ты ей, пожалуйста, открой, проведи в мою пещеру и отдай, что причитается. Она сама знает что.

— Рискованно! — заметила Александра. — А если она не найдет свой заказ? У тебя же там завал. Ты меня просвети, что она конкретно будет искать?

— Стенную нишу, а на задней стенке барельеф, небольшой, — Стас обрисовал размеры несколькими размашистыми движениями рук. — Метр на шестьдесят сантиметров. Отливка из гипса.

— Надгробное что-то? — уточнила Александра.

Скульптор неожиданно задумался и после паузы кивнул:

— Вроде того... Сюжет религиозный, бегство в Египет, Иосиф и Мария на ослике. Но на надгробье не похоже.

— Тогда это ниша для домашней молельни, — авторитетно заявила Александра. — Для Европы это больше характерно, чем для наших краев. Любопытно будет взглянуть.

— Любопытно, так взгляни! — кивнул Стас. — Забавная штука получилась. Мне за нее уже уплачено, так что дело пятиминутное — встретишь клиентку и проводишь. А больше я в Москве вроде никому ничего не должен...

Они вздохнули почти одновременно, Стас — облегченно, Александра — тяжело. Женщине вспомнились ее собственные невыполненные, много раз отложенные обязательства перед клиентами. Всю зиму она не могла себя заставить взяться за работу. Едва опомнившись от недавних событий, которые чуть не довели ее до беды, едва перестав ждать наказания за преступление, которого она не совершала[2], Александра попыталась отвлечься от тягостных воспоминаний и заняться делом — она набрала заказов на реставрацию. Снять слои старого лака, от которых картины становились желтыми, почти коричневыми, промыть картину, восстановить утраченный местами красочный слой, а то и грунт, перетянуть обвисший холст, освежить полотно глянцем... Это Александра проделывала сотни раз, работа не требовала участия

---

[2] Читайте романы А. Малышевой «Суфлер», «Трюфельный пес королевы Джованны».

ума, души и сердца, руки выполняли ее сами, автоматически, как бы играючи. Оплачивались такие работы не очень высоко, но позволяли худо-бедно прожить, при условии, что в неделю она брала на реставрацию две-три небольшие картины.

Но отец, легший после новогодних праздников на обследование в больницу и недавно вышедший оттуда, нуждался в ее постоянном внимании, так же как и мать — растерявшаяся вдруг, поникшая, превратившаяся в большого ребенка. Александра каждый день ездила к родителям и возвращалась до того расстроенная (врачи все еще не сказали ничего определенного), что руки опускались. Она часами сидела перед картиной, установленной на мольберте, слушая звенящую тишину мансарды, ни о чем не думая, лишь томясь смутной тревогой. Изредка к ногам художницы прижималась кошка — единственный ее компаньон в этом чердачном уединении. Порою налетевший ветер грохотал полусорванным листом кровельного железа на крыше, над самой ее головой. Женщина приходила в себя, смачивала губку в растворителе, проводила ею по картине и вновь замирала, глядя в пространство, не замечая ни полотна, ни ласкавшегося зверька, присутствуя в мастерской телом, но отсутствуя душой. В такие минуты ей казалось, что она уносится далеко от неприятностей и невзгод и находит приют и успокоение где-то вдали, в солнечном тумане, в который погружалась внутренним взором. Но, опомнившись, Александра тяжело страдала оттого, что действительность отторгала ее воображение.

Работа шла туго, она задерживала заказы, придумывая новые и новые отговорки. И вот — начало апреля, первые настоящие весенние дни, о которых говорила ей оттепель, шум талых вод в желобе за окном, яркий солнечный свет, игравший на полу мансарды... А она ничего, ничего не сделала за зиму, не успела. «Я вхожу в эту новую весну с одними долгами и тревогами... Мне даже порадоваться нечему!»

— Езжай, не беспокойся! — сказала она, очнувшись от мыслей и увидев, как сосед беспокойно топчется на месте. Стасу явно не терпелось исчезнуть. — За квартирой присмотрю, нишу передам. Только... Как я узнаю, что она явилась, твоя заказчица? Дай хотя бы телефон, позвоню, уточню, когда ее ждать.

— Да у меня нет ее номера! — с досадой ответил скульптор, занесший уже было ногу за порог. — Ты уж покарауль в моей мастерской, говорю же, она сегодня собиралась приехать!

— Нет номера? — озадачилась Александра. — Как же это?

— Да просто, она мне никогда не звонила, — Стас обернулся и прислушался к тишине на лестничной площадке. — Пришла прямо в мастерскую, обо всем условилась и заплатила вперед. Оставила заказ, а я назвал дату, когда забрать. Я ведь опоздаю на самолет, того и гляди...

— Поезжай! — женщина дружески хлопнула его по плечу. — Счастливой дороги! И как надолго ты пропадаешь?

— Может, до лета. Месяца на два, на три.

Шаги уже затихли внизу, до ее слуха донесся отдаленный шум захлопнувшейся двери подъезда, а художница все стояла на пороге. Ею овладело оцепенение, глубокое, отстраненное спокойствие. Александре больше не было страшно остаться одной, слезы, так и не пролившись, высохли. Она закрыла дверь.

— Мы остались с тобой одни! — сказала она черной кошке, высунувшей острую внимательную мордочку из-под скомканного одеяла.

Зеленые глаза животного сузились, превратившись в щелочки. Послышался громкий, все нарастающий по интенсивности и темпу урчащий звук.

— Чему ты радуешься? — вздохнула Александра, включая старенькую электрическую плитку.

Цирцея, продолжая урчать, села и принялась месить передними лапками одеяло. Затем яростно вылизала себе бок, не замолкая при этом ни на миг. Она всегда спала с хозяйкой, если ночевала дома. Эта кошка, подобранная когда-то на улице уже взрослой, время от времени вспоминала вольную жизнь и удирала. Она скиталась по окрестным дворам, заводила интересные и полезные знакомства, питалась милостынью продавщиц соседних магазинов, как самая настоящая бродяжка. Но неизменно возвращалась в мансарду, каждый раз с таким снисходительным видом, будто делала Александре большое одолжение.

Женщина сварила кофе, угостила кошку припасенной с вечера сосиской. Заглянув в шкафчик, обнаружила там несколько сухариков, спрятанных в стеклянной банке с завинчивающейся крышкой. Холодильник у нее сломался давно, да он был и ни к чему в мансарде, вечно выстывшей, продуваемой сквозняками от щелистого пола до низко нависшей крыши. Продукты (обычно немногочисленные) хозяйка хранила в банках с крышками, уберегая их тем самым от внимания крыс и мышей, ничуть не боявшихся кошки. Цирцея, первое время пытавшаяся охотиться на грызунов, вскоре охладела к этой забаве.

Обитательницы мансарды позавтракали, устроившись рядышком на краю постели. Цирцея расправилась с сосиской, похрустела кусочком предложенного сухарика и, спрыгнув на пол, направилась к двери.

— К обеду-то вернешься? — в шутку спросила Александра.

Никакого обеда, как обычно, она готовить не предполагала. Более чем спартанский быт не позволял ей возиться с готовкой, да она и не умела толком готовить. Чаще всего художница покупала что-то готовое и разогревала.

Кошка, обернувшись, беззвучно мяукнула, широко раскрыв розовую пасть. Александра встала и отперла ей дверь. Цирцея черной тенью скользнула на лестницу и пропала из виду.

Женщина смахнула со стола крошки, ополоснула кружку из-под кофе. Ей пришлось чуть не две минуты стоять у старой раковины, покрытой черными пятнами отбитой эмали, подставив кружку под позеленевший латунный кран, торчащий из стены, чтобы набрать воды для символического мытья. Сегодня вода текла еле-еле, тонкая струйка, с вязальную спицу, то и дело прерывалась совсем. Прибравшись, Александра набросила на плечи куртку, висевшую на спинке стула. В кармане звякнула связка ключей, оставленная Стасом.

«Придется провести день у него в мастерской». — Опустив руку в карман, женщина достала ключи. Ей все не верилось, что она вдруг осталась в доме совсем одна. Вспоминались категоричные высказывания домработницы Стаса, утверждавшей, что она покинет этот дом, разве когда пригонят бульдозеры, его сносить. Марья Семеновна твердила, что она одна останется верна этому разваливающемуся гнезду, покинутому почти всеми его насельниками. И вот — исчезла, даже не простившись.

«Быть может, ей было стыдно прощаться со мной», — думала Александра, собирая сумку. Она решила взять с собой несколько каталогов, которые давно собиралась просмотреть, и попробовать дочитать книгу, которую осенью привез ей из Германии друг, — интереснейший трактат, посвященный реставрационным ошибкам. По-немецки она читала медленно, со словарем, так что знакомство с трактатом затянулось на полгода.

Собравшись, художница заперла железную дверь и спустилась на третий этаж. Александра впервые отпирала дверь квартиры, где обитал скульптор, «своими» ключами. Она подсознательно опасалась услышать тяжелую торопливую поступь Марьи Семеновны, ее резкий, неприветливый окрик: «Кого Бог принес?» Хотя Александра и знала, что никого не встретит, ее не покидало ощущение, будто она совершает нечто незаконное.

В прихожей, обычно загроможденной ведрами и тазами, в которых скульптор отмачивал тряпки, чтобы заворачивать глиняные модели, предохраняя их от преждевременного высыхания, царил непривычный порядок. Опорожненные ведра были составлены в пирамиду и скромно приютились в углу. С вешалки исчезли все наряды Марьи Семеновны, которые у старухи водились в изобилии. Жители района давно привыкли к ее диковинному виду. Муза скульптора одевалась как городская сумасшедшая, причем тяготела к роскоши. На ней можно было увидеть старинный бархатный халат, подпоясанный парчовым кушаком, атласные туфли на покривившихся каблуках, с пряжками из стразов, или растоптанные ботфорты, сродни мушкетерским. На тощей морщинистой шее всегда была накручена тряпица, кружевная, шелковая или шерстяная, смотря по погоде. В холода Марья Семеновна блистала в старом мужском пальто с барашковым воротником, а в жару в ее руках появлялся веер со сломанными планками из слоновой кости. Старуха обмахивалась им с яростным видом, словно предупреждая возможные насмешки. На голове неизменно красовался убор, также полученный в дар от какого-нибудь художника, избавлявшегося от хлама, накопившегося в мастерской. Все, что служило прежде для позирования и преображения моделей, а затем покрывалось пятнами, изъедалось молью, ветшало, — все поступало в свой срок в гардероб Марьи Семеновны. Теперь крючки на вешалке были пусты.

«Неужели все тряпье увезла с собой? — с грустью подумала Александра. — Значит, и в самом деле надолго уехала...»

Она прошла в столовую, где Стас обычно угощал приятелей. С длинного стола сутками не сходило угощение — водка, соленые огурцы, вареная колбаса, нарезанный толстыми ломтями серый хлеб... Марья Семеновна, пекущаяся, помимо всего прочего, о нравственности своего подопечного, считала пьянство в кругу друзей мужского пола небольшим злом и вполне приемлемым заменителем разврата. Она прощала Стасу любую, самую безобразную пьяную выходку, шумную компанию, скандалы и бессонные ночи, когда ей приходилось угощать и разнимать собутыльников, но появление рядом с ним женщины приводило старуху в бешенство. Стас шутил, что лишь из-за своей «музы» остается холостяком, опасаясь за жизнь будущей супруги («ведь чиркнет ножичком по горлу в брачную ночь!»). На самом деле такой цербер его вполне устраивал. Когда роман, скоропалительный и случайный, изживал себя и начинал тяготить свободную натуру скульптора, он словно бы невзначай сталкивал свою возлюбленную с «музой». И ни одна любовница не осмелилась после этого приключения вернуться в мастерскую.

Сейчас столешница была начисто протерта. Посередине, прижатые сахарницей, виднелись несколько купюр, оставленных для Александры. Та взяла их, пересчитала. «Три тысячи рублей. Как всегда, кстати, только за что я их беру? Раз в день, проходя мимо, проверить, заперта ли дверь? Ну не за эту же услугу — дождаться клиентку, отдать ей нишу... Да, ниша!»

Она прошла в соседнюю комнату, где располагалось рабочее место скульптора. Здесь ее тоже встретил необыкновенный порядок. Марья Семеновна перед отъездом навела чистоту в гнезде своего подопечного, обычно не допускавшего ее к уборке этой комнаты. То было единственное место во всем доме, где власть суровой старухи не имела силы. Марья Семеновна смирялась с ограничением, почтительно отступая перед гением своего подопечного, — ибо она искренне считала Стаса гением, который вынужден разменивать свой дар на изготовление бесчисленных памятников и бюстов, чтобы иметь кусок хлеба. Основной статьей расходов скульптора был, конечно, не хлеб насущный, а разнообразные напитки и женщины. Но «муза» поэтизировала образ своего непутевого питомца.

Прибранная комната казалась чуть не в два раза больше прежней. Исчез мусор, копившийся по углам, комья засохшей глины, разорванный мешок с гипсом, из которого сочилась тонкая струйка белой пыли. Широкий топчан, на котором отдыхал от трудов и неумеренного потребления алкоголя скульптор, был аккуратно застелен чистым, полинявшим от многих стирок, голубоватым льняным покрывалом. В комнате стало светлее: с окна была снята занавеска, которую Стас, презиравший буржуазные условности, использовал для вытирания испачканных глиной рук. Модели для заливок аккуратно выстроились рядами на полках стеллажа, сколоченного из необструганных досок. Некоторые были прикрыты тряпицами.

Готовая работа лежала на столе, у окна. Александра увидела ее еще с порога и, приблизившись, с любопытством оглядела.

Увиденное ее несколько удивило. Она давно уже отмечала шаблонность применяемых скульптором приемов. Тот за многие годы так свыкся со штамповкой однотипных сюжетов надгробных плит, для которых ему часто заказывали барельефы, что все его работы носили кладбищенский, похоронный характер.

«На этот раз что-то новое... Подобными евангельскими сюжетами Стас еще не занимался, и ему... удалось!» — вынуждена была признать Александра, заранее настроившаяся на критический лад.

Отлитая из гипса, тщательно отшлифованная ниша предназначалась для того, чтобы крепить ее на стену. На дне можно было установить несколько свечей, или статуэток, или небольшую вазочку с цветами. В глубине ниши, на слегка вогнутой стенке, был выполнен барельеф на библейский сюжет: Иосиф ведет под уздцы ослика, на котором сидит Мария, прижимающая к груди младенца. Барельеф был отполирован до блеска и покрыт сверху бесцветным лаком, отчего выделялся на общем шероховатом фоне и слегка мерцал.

«Если бы в нише стояла свечка, эффект мерцания был бы усилен! — думала Александра, разглядывая работу и все больше удивляясь ее изящной, почти схематичной простоте и тонкости исполнения. — Что ж, его можно поздравить с удачей... Жаль только, барельеф этот исчезнет и никогда не будет выставлен... Скорее всего! Надеюсь, Стас догадался хотя бы сфотографировать его?»

На стеллаже она заметила старый «поляроид», который скульптор одолжил у нее еще в начале зимы, но забыл вернуть. Она и сама забыла о фотоаппарате. Он был ей нужен лишь для работы, чтобы фотографировать объекты на продажу, для демонстрации клиентам, а работа этого рода не перепадала уже несколько месяцев. Александра и сама ее не искала, хотя это был самый надежный и обильный источник заработка. Художница чувствовала, что былой азарт охотницы за предметами старины, дававший ей некогда смелость идти до конца в самых рискованных исследованиях, делать удивительные открытия, угас. Она ощущала усталость, у нее было только одно желание — отдохнуть, физически и душевно.

«Какой был странный прошедший год, сколько вместил загадок, опасностей и потерь!» — думала она, беря с полки фотоаппарат и проверяя, готов ли тот к работе. Беспечному скульптору ничего не стоило сломать «поляроид» и забыть об этом ничтожном пустяке. Но Александра беспокоилась напрасно, аппарат был исправен и заряжен. Настроив его, приноровившись к освещению в комнате, Александра сделала несколько снимков ниши. Фотографировать белый гипсовый барельеф, да еще утопленный в глубине ниши, было делом непростым, но все же она поймала игру теней, благодаря которой изображение получилось рельефным. Положив «поляроид» и сделанные снимки в сумку, женщина достала оттуда припасенный каталог и уже собралась расположиться на топчане, чтобы с удобством дождаться прихода заказчицы, когда ее насторожил явственный треск половиц, донесшийся из столовой.

«Я не заперла дверь!» — запоздало вспомнила Александра. Выйдя из комнаты, она увидела на пороге столовой молодую женщину. Та при виде художницы насторожилась и подалась назад, словно собираясь убежать.

— Вы за нишей пришли? — спросила Александра.

— Да, — оправившись от неожиданности, ответила гостья. — Готово?

— Конечно. Мне поручили дождаться вас и передать работу.

— А где сам Станислав? — Визитерша явно была раздосадована таким оборотом дела.

— Он уехал. — Александра отметила, как при этих словах по лицу женщины пробежала тень. Только что растерянное, оно сделалось жестким. — Но работа полностью готова, так что... Да вы взгляните!

Она жестом пригласила гостью следовать за собой. Пройдя в мастерскую, женщина тут же бросилась к нише, лежавшей на столе на виду. Жадно осмотрев ее, она замерла, как будто в задумчивости.

«Не хватало только, чтобы ей не понравилось и она не приняла работу! — встревожилась Александра, молча наблюдавшая за реакцией гостьи. — Стас просто-напросто подставил меня... Что я буду делать, если она потребует свои деньги обратно?! Он мне даже адреса не сказал, куда едет, да еще будет ли отвечать его телефон...»

— Куда он уехал? — спросила гостья, не поворачивая головы. Она не сводила взгляда с барельефа.

— В Европу... — уклончиво ответила Александра. — Не знаю точно. Он так спешно собрался, закинул мне ключи и попросил передать вам нишу. Я ничего не знаю!

Ей вдруг пришло в голову, что интерес гостьи к отъезду скульптора может иметь второй смысл. Стас был так неразборчив в своих связях, что приставал к женщинам, независимо от возраста и внешней привлекательности, хотя «для души» предпочитал соблазнять молоденьких моделей. Однако объектами его пылкого внимания становились и клиентки намного его старше. Александра, порой встречая его пассий на лестнице, поражалась всеядности соседа.

«Быть может, и тут роман?! А если Стас хотел его разорвать и потому сбежал? Может, вовсе и не в Черногорию! — Эта мысль ее повеселила, она едва удержалась от улыбки. — Но на этот раз я хотя бы могу понять, что его сподвигло...»

Гостье на вид нельзя было дать и тридцати. Красавицей ее назвал бы не всякий. Возможно, кому-то ее лицо показалось бы даже странным. Узкое, болезненно бледное, востроносое — при взгляде на него рождалась мысль о том, что женщина не очень здорова физически. «И нервна, должно быть!» — сделала вывод Александра. О беспокойном состоянии гостьи можно было судить и по тому, что у нее непрестанно трепетали веки — мелко, чуть заметно. Это был едва наметившийся, но все же явственный нервный тик. Глаза, большие, миндалевидные, темно-голубые, были действительно очень красивы, но тонкие губы, тронутые розовой помадой, хранили такое выражение, словно женщина собиралась сказать что-то неприятное. Она была очень интересна, с длинными черными волосами, разбросанными по плечам, с гордой осанкой, холеными руками, стройной шеей. Александре, глядевшей на нее, подумалось вдруг, что эта женщина должна хорошо танцевать. «Может быть, даже профессионально!» Одета визитерша была скромно: таково было первое впечатление от серого пальто до колен, клетчатого шарфика, большой черной сумки, которую она сжимала под мышкой. Но Александра, хотя и не была искушена в моде, все же инстинктивно уловила дорогостоящий «ореол» этих, с виду неброских вещей. Зато духов визитерша не использовала — стоя рядом, художница не чувствовала даже тени аромата. Ей вспомнилось мнение, высказанное когда-то в ее присутствии приятелем, мнившим себя знатоком женских душ. «Нарядная ухоженная женщина, которая не любит духи, — это всегда большая оригиналка. И обычно стерва!»

— Так не делается, — нарушила молчание гостья. — Почему он не дождался меня? Я назвала точную дату...

— Я не могу сказать, почему он спешил, — терпеливо ответила Александра. — Конечно, у него были причины. Наверное, срочная работа.

— Но он еще не сдал эту! — Женщина гневным жестом указала на гипсовую нишу.

У Александры сжалось сердце.

— Но ведь все сделано, согласно вашим пожеланиям, — нерешительно произнесла она. — Или... нет?

— Он ошибся. — Лицо заказчицы передернул тик, на этот раз уже более отчетливый, затронувший и левую щеку, и угол рта, зловеще исказивший ее облик. — Все нужно переделывать! Все!

— Но что конкретно не так? — Александра едва сумела выдавить эти слова, прозвучавшие жалко и виновато, хотя сама она не имела к ошибке скульптора никакого отношения. — Ведь вы, как он мне сказал, заказывали барельеф на тему «Бегство в Египет»? С этим самым сюжетом?

— Персонажи те же, — отрезала женщина. — Но это — не бегство. Он сделал «Возвращение из Египта».

— То есть?! — Художница склонилась над нишей, изумленно обводя взглядом фигуры на барельефе. — Как вы это различаете?

— Да очень просто. Существует порядок, который не изменяется уже два тысячелетия! — отрезала та. — Если процессия движется слева направо, то это бегство в Египет. Если справа налево — возвращение из Египта. Сами взгляните, что он наделал!

И верно, фигуры, изображенные на барельефе, двигались справа налево и были обращены к зрителю левым профилем.

— Это очень важно? — после тяжелого молчания спросила Александра.

— Тут все важно. — Женщина, вопреки ожиданиям, заговорила спокойнее. Она явно взяла себя в руки. — Я думала, опытному мастеру не надо объяснять такие простые материи.

— Как же быть? — Услышав сдержанный ответ заказчицы, Александра, ожидавшая скандала, чуть приободрилась.

— Я уже сказала — переделывать. Деньги я заплатила вперед, думала, это вдохновит скульптора. Теперь понимаю, что зря это сделала! Без денег он бы не уехал, дождался меня!

— Действительно, платить заранее рискованно, — вздохнула Александра. — Что ж, придется дожидаться, когда вернется Стас.

— Это совершенно немыслимо! — воскликнула гостья. — Я называла этот срок как самый крайний! Просила сделать еще раньше, по возможности, но Станислав сказал, что не успеет, и мы сошлись на этом дне! И вот что получилось!

У художницы голова шла кругом. Она молча проклинала Стаса, уже подозревая его в том, что он так спешно уехал по простой причине: обнаружил свою ошибку и пожелал переложить неприятные разбирательства на чужие плечи. Нужно было что-то решать. Заказчица смотрела на нее сердито и вопросительно, словно ожидая немедленного ответа.

— Я попробую найти другого мастера, и он все переделает, — сказала наконец Александра. — Потребуется, конечно, время... Но за образец возьмут этот барельеф, ведь к самим фигурам у вас претензий нет? Сделают с них слепок, отольют новую форму... Отделка, полировка... Скажем, неделю это займет.

Гостья отмахнулась и присела на край подоконника, с которого, к счастью, была смыта корка застарелой грязи. Лицо женщины стало серым, словно подернулось слоем пепла. Александра испуганно шагнула к ней:

— Вам плохо?!

— Да, что-то голова кругом... — Заказчица растирала лоб тыльной стороной ладони и морщилась. — Разволновалась...

— Не переживайте так, я постараюсь все уладить как можно быстрее! — пообещала Александра. — Не знаю, правда, как быть с оплатой, Стас вернет деньги, само собой, но другой скульптор может не согласиться работать в кредит... Хотя все можно решить. Через неделю ваша ниша будет готова!

— Нет, вы не понимаете... — Женщина уронила обессиленную, слабую, словно у тряпичной куклы, руку. Ее лицо, искаженное гримасой страдания, казалось маской. И вновь Александра отметила в ее манере держаться некое актерство, позу, хотя заказчица в этот миг вряд ли играла.

— Это катастрофа, — продолжала гостья. — Если ниша не будет у меня уже завтра утром, поймите — утром! — случится страшное несчастье! Как я могла положиться на человека, которого впервые видела!

— О боже... — только и сумела вымолвить ошеломленная Александра. Ей никак не верилось, что из-за малоценного куска гипса кто-то может стать несчастным.

— Да, только на Божью милость и остается рассчитывать, — горько ответила заказчица. — Ждать неделю я не могу. У меня нет недели! То есть, ее нет у человека, для которого все это делалось... Он болен, понимаете? Ему осталось, может быть, два-три дня... Или даже меньше... Точно никто не знает. Я и так рисковала не успеть, но он каким-то чудом тянул, я пообещала, что завтра алтарь будет у него... А теперь все кончено!

Внезапно всхлипнув, она растерла кулаком разом покрасневшие глаза:

— И для него, и для меня!

Потрясенная, Александра увидела, как эта холеная, элегантная женщина боком сползла с подоконника на затоптанный пол и, прижавшись щекой к проржавевшей чугунной батарее, в голос разрыдалась, содрогаясь всем телом.

Глава 2

Ирина — так представилась гостья, когда художнице удалось немного успокоить ее, пересадить на топчан и предложить стакан воды (на кухне, к счастью, исправно работал кран), действительно, оказалась в тяжелом положении. Александра выслушала ее историю и вынуждена была признать, что оплошность, совершенная Стасом во время работы над барельефом, может обернуться трагедией.

— Мой муж, — Ирина судорожно сделала последний глоток и поставила опустевший стакан на пол, — работает сейчас по контракту во Франции. Он художник-оформитель. Его пригласил очень престижный театр, и, конечно, от таких предложений не отказываются. Я тоже имела отношение к сцене, но оставила ее... И кажется, — лицо гостьи передернул сильный тик, — навсегда, хотя в моем возрасте, в двадцать восемь лет, никто еще на пенсию не уходит, без серьезных травм...

— Вы танцевали? — вырвалось у Александры.

Женщина взглянула на нее широко распахнутыми, изумленными глазами, словно проснувшись:

— Как вы угадали?

— Вы похожи на балерину, я сразу подумала, — призналась Александра.

— Нет, не совсем так, — снисходительно поправила ее Ирина. — Я действительно окончила балетное училище, но ушла из классического балета в современный танец. Участвовала в нескольких шоу, в России и во Франции. Там и познакомилась с мужем. Мы работали в одном театре, над одной постановкой. Поженились через несколько месяцев... А потом я узнала, что у него здесь, в Москве, остался тяжелобольной отец, за которым некому ухаживать. Все это время Иван посылал из Франции деньги одной женщине, которая присматривала за стариком, но потом с ней возникли серьезные проблемы, и, в конце концов, мы отказались от ее услуг. Надо было срочно решать проблему, и мы с Иваном договорились, что я поеду в Москву и все возьму на себя... — Ирина развела руками и с горькой улыбкой заключила: — Так я и сделала, и вот уже два года здесь, мучаюсь одна...

— С вашей стороны очень великодушно, оставить карьеру ради помощи больному свекру! — Александра с уважением смотрела на нее. — Постойте, это не для него ли вы заказывали нишу?

— Именно для него, — кивнула Ирина. — Тут, видите ли, непростая история...

...Больной свекор оказался человеком капризным, чему Ирина, впрочем, не удивилась. К этому она была готова.

— Если человек день и ночь мучается от боли, его раздражает, если рядом живет кто-то молодой и слишком здоровый, — грустно сказала женщина.

«А вид у нее не цветущий, — размышляла тем временем Александра, глядя на бледное, измученное лицо гостьи и ее безостановочно трепещущие веки. — Но может быть, это результат двух лет ухода за капризным стариком?»

— Больше всего Виктор Андреевич возмущался тем, что сын не сам приехал, а прислал меня. — Ирина невесело улыбнулась. — Как будто я не была бы рада остаться там, в Париже, заниматься любимым делом. Ведь я сознательно, добровольно поставила на себе крест! Когда бросаешь танцы на год-другой, бросаешь их навсегда. Я немного тренировалась дома, заглядывала иногда в тренажерный зал, но что это значит по сравнению с ежедневными нагрузками, выступлениями, гастролями... А Иван никак не мог приехать в Москву! Не может и сейчас! Он нужен там каждый день, к тому же шоу постоянно ездит на гастроли. В случае самовольного отъезда ему грозит огромная неустойка, понимаете?

Она встала и обняла себя за локти, словно вдруг озябнув.

— Я закрыла для себя возможность вернуться на сцену. Мое место тут же было занято... Как водится! Но все бы ничего, если бы Виктор Андреевич вел себя чуть терпимее. Он иногда бывает невыносим! Видит бог, я терплю, но порой хочется сбежать от него куда глаза глядят!

Ирина взглянула на художницу напряженно, вопросительно, словно пытаясь понять, сочувствует ли та ее невзгодам. Александра, которую отчасти смущала такая внезапная, бьющая через край откровенность постороннего человека, все же кивнула:

— Да, вам не позавидуешь! К тому же, вы говорите, от этой ниши зависело нечто важное, и вот, незадача... А если не секрет, что может произойти, если ее не предоставят вашему свекру тотчас?

Ирина, помедлив, ответила:

— Боюсь, нечто действительно ужасное. Это наше внутреннее, сугубо семейное дело, но мне больше не к кому обратиться за помощью, только к вам! И вы должны понять, насколько это важно! Если ниша не будет у меня завтра, завтра же утром, Виктор Андреевич уничтожит завещание, сделанное им в пользу сына! Иван, единственный законный наследник, останется ни с чем, а все получит совершенно посторонний человек, аферист! Аферистка, точнее!

Александра изумленно всплеснула руками:

— Да что это за бесценная реликвия такая?! Спору нет, барельеф красивый, но это же просто гипсовая поделка, только и всего!

— Для вас и для меня это кусок гипса, — кивнула Ирина. — Для старика это имеет совсем другое значение.

...Женщина рассказывала, волнуясь, стараясь не упустить ни одной подробности, то и дело заглядывая Александре в глаза. Взгляд ее сделался таким молящим, несчастным, что слушательнице было неловко его встречать. И чем яснее для художницы становился смысл повествования, тем больше она озадачивалась тем, как разрешить возникшую проблему в короткие сроки. А решать надо было немедленно, как следовало из краткой исповеди Ирины.

— Видите ли, — гостья молитвенным жестом сложила руки, — мой свекор человек с некоторыми причудами. Вполне извинительными, правда! Он много лет вдовеет, мать моего мужа умерла, когда Иван был еще совсем маленьким, двухлетним, он ее даже не помнит. И Виктор Андреевич, и жена его покойная работали в театре, не в Москве, а на Урале. Они тоже были художниками-декораторами. Когда у них родился Иван, Виктор Андреевич решил переселиться в столицу, и это ему удалось, в конце концов. Правдами и неправдами перевелся в московский театр и перевез мальчика с женой от деда с бабушкой, своих родителей. Вскоре после переезда жена тяжело заболела и умерла. Больше он не женился, хотя мог бы, наверное, мужчина был интересный. Но память о жене он хранил свято! Сына растил один...

— Это огромная редкость, такая верность в наше время! — Александра проникалась все большим интересом к рассказу. — Понятно, что он очень дорожит единственным сыном, ведь он посвятил ему всю жизнь!

— Сыном — да, но не мной! — с горечью ответила молодая женщина. — Меня он принял постольку-поскольку, Иван попросил. И два года я терпела его капризы, жила вдали от мужа, вкалывала как сиделка и прислуга, как нянька... Только им-то платят, с ними считаются, они всегда могут уйти, если им нагрубят... А я... Я не могла!

Женщина, сникнув, замолчала, ее голос словно растаял в наступившей внезапно тишине. Александра не торопила ее, не задавала вопросов, рвущихся у нее с языка. Она уже поняла, что с нишей связана совсем не обычная история, которая не имеет ничего общего с банальной прихотью заказчика.

— Иван, когда звонил мне из Парижа или из другого города, где они в тот момент находились на гастролях, всякий раз говорил: «Потерпи, отец очень болен, я никогда не забуду того, что ты за ним ухаживаешь!» — Женщина вновь подняла глаза и взглянула на свою безмолвную слушательницу. — Верится вам в его благодарность? Сдерживают люди такие обещания или нет?

— Как знать? — рискнула усомниться Александра. — Иные ничего не обещают, а помнят добро, другим можно всю жизнь посвятить, и благодарности не дождешься. Вы сами должны знать своего мужа.

— Так-то оно так, — нехотя согласилась Ирина. — Но мы так долго живем в разлуке! Он мог измениться... Теперь я ни в чем не уверена, и в нем меньше всего!

...В последнее время свекор чувствовал себя намного хуже. Консультировавший его на дому доктор, прежде настаивавший на госпитализации, вдруг заявил, что в этом нет уже особого смысла. Ухудшение продолжалось с самых новогодних праздников. Месяца полтора назад мужчина наконец заявил невестке, что предвидит свою близкую кончину.

— И с тех пор он не мог больше ни о чем говорить! Твердил, что уверен: умрет в апреле, никак не позже первой декады. Именно в этих числах скончалась его жена. Вот, вбил себе в голову... И в связи с этим вдруг потребовал очень странную вещь, а именно — чтобы ему немедленно прислали с родины гипсовую нишу работы жены.

Александра вопросительным жестом указала на барельеф, и гостья кивнула:

— Да, именно такую. Но только «Бегство в Египет», а не «Возвращение».

— Погодите! — изумленно воскликнула Александра, — но ведь эта ниша сделана только что?!

— Конечно, это лишь копия той... — пожала плечами Ирина. — Я отдала скульптору фотографии, к счастью, они сохранились в семейном архиве. Свекор сам мне их показал, когда рассказывал о нише. А то, что бы я делала... Но сама ниша утрачена. Ее когда-то давно разбили, и осколки выбросили. А эта работа была по особенным причинам дорога супругам. Мать сделала ее, когда родила Ивана, сидя дома, не ради денег, а для души. Она не была религиозным человеком, к слову, но беременность сделала ее более экзальтированной... Ей захотелось изобразить библейский сюжет, где была бы затронута семейная тема... Так говорил мне свекор, во всяком случае. Ниша после переезда семьи в Москву осталась на Урале, у родителей Виктора Андреевича. Конечно, теперь стариков на свете нет...

— А ваш свекор разве не знал, что оригинал уничтожен? — спросила Александра, разглядывая барельеф.

— Получается, не знал... — вздохнула Ирина. — Он говорил о нем как о существующем. У пожилых людей такое случается — что-то выпадает из памяти, и они верят в то, что себе вообразили. Я, по просьбе Виктора Андреевича, связалась с людьми, которые получили наследство после его родителей. Его старшая сестра умерла, остался ее муж, дети, ко всему равнодушные родственники... И они меня огорошили тут же, что никакой ниши у них и не было, она разбита давным-давно, еще до того, как родители увезли маленького Ивана в Москву. Что мне было делать?! Виктор Андреевич твердил только об этой нише, что без нее он не умрет спокойно. Договорился до того, что, если я не добьюсь, чтобы нишу немедленно прислали, Иван может забыть о завещании в его пользу! Сын, мол, и так перед ним страшно виноват, отделывался подачками, прислал для ухода меня, хотя должен был приехать и ухаживать сам... И много чего еще наговорил, не буду даже повторять! — Женщина провела рукой по лбу, поморщившись, как от боли. — Ну, я посоветовалась по телефону с мужем, и мы решили что-то предпринять... Ниши не вернуть, но ведь остались фотографии, которые его мать сама же когда-то сделала, окончив работу... Если это для старика так важно... — И после тяжелой паузы женщина добавила: — Боюсь, теперь нам конец. Свекор и так всегда искал повод, к чему бы придраться, а теперь и искать не нужно. А эта проходимка, конечно, воспользуется моментом, чтобы оставить Ивана ни с чем... Он далеко, а она всегда рядом!

— Но кто эта особа? — поинтересовалась Александра. — Родственница?

— Если бы! — отмахнулась гостья. — Это та самая ловкая дамочка, которая ухаживала за свекром в первое время, пока Иван не спохватился. Нина распродавала коллекции свекра, распоряжалась деньгами и, если бы мы не вмешались, получила бы и дарственную на его квартиру! Когда я приехала, мне пришлось буквально выкинуть ее вещи на лестницу, со скандалом! Она еще пыталась мне угрожать, заявляла о каких-то своих правах... До конца ее выжить не удалось, он звонит ей чуть не каждый день, просит приехать, и она, само собой, тут же появляется. Виктор Андреевич, назло мне, держится с ней как с родной, а со мной... Я для него враг номер один!

Ирина, словно позабыв о собеседнице, говорила, глядя в никуда, ее глаза лихорадочно горели, на бледных щеках проступили розовые пятна.

— Что я скажу ему завтра? — Очнувшись, она взглянула на молча слушавшую Александру. — Что никакой ниши давно нет, а я хотела подделать семейную реликвию, чтобы скрасить ему последние дни? Чтобы не рассорить его с сыном? Он не станет даже слушать!

— А вы уверены, что он заметит эту... скажем, неточность? — Александра указала на барельеф. — Ведь оригинала у него перед глазами не было уже очень давно. Так-то, за исключением направления процессии, ниша получилась похожей?

— Он все заметит! Фигуры похожи как две капли воды, — уныло ответила Ирина. — Но вот перевернутое изображение... Почему так получилось?

— Я могу предположить, что Стас упустил из виду эту подробность, когда готовил модель для заливки, — сочувственно проговорила художница. — Он сделал эскиз по снимку, затем выполнил модель... А когда залил ее гипсом, выпуклая сторона, естественно, оказалась зеркально перевернутой... У него это, очевидно, просто вылетело из головы, или же он думал, что это не имеет никакого значения, если рисунок будет соблюден в точности...

«Или же он был пьян и не разменивался на такие мелочи!» — добавила она уже про себя. Ирина тем временем оттянула рукав пальто и взглянула на часы.

— Что же мне делать? — прошептала она. — Как я домой вернусь без ниши?

— Я вижу два выхода, — Александра положила руку на плечо отчаявшейся женщине. — Первый — рискнуть и отдать вашему свекру нишу такой, как она есть. А если он заметит подмену, что ж, придется рассказать правду... Может, его даже растрогает то, что вы пытались его уберечь от разочарования.

Ирина замотала головой, ее длинные черные волосы разметались по плечам:

— Нет, ни в коем случае! Я-то его хорошо знаю! Он ничего никому не простит!

— Тогда остается второе, — терпеливо продолжала художница. — Отдать заказ на нишу другому мастеру. Вашему свекру придется подождать недельку.

— Как я это объясню?! — воскликнула Ирина. — Поймите, я и так сплела целую историю с пересылкой ниши из Екатеринбурга! Мне очень трудно было объяснить, почему нишу нельзя отправить поездом, уплатив проводнику, или разориться на курьерскую доставку. Плела какой-то вздор, якобы хрупкие и громоздкие предметы не принимают... Придумала, наконец, что кто-то из их тамошних дальних родственников едет в Москву и может привезти нишу с собой.

— Значит, придумайте еще одну историю, — развела руками Александра. — Нам нужно время, чтобы все исправить.

— Историю! — Гостья подняла глаза к потолку с потрескавшейся штукатуркой. — В мои истории он больше не поверит...

Переведя взгляд внезапно расширившихся глаз на собеседницу, женщина издала тихий возглас, похожий на вскрик вспугнутой птицы.

— Что? — забеспокоилась Александра.

— Если бы вы согласились! — воскликнула Ирина. — Вы могли бы приехать к нам и рассказать ему, что видели, скажем, как нишу упаковали в Екатеринбурге, но тот человек, который должен был ее привезти, заболел и будет в Москве только через неделю!

— И вы считаете, мне он поверит? — с сомнением спросила художница.

— Он поверит кому угодно, только не мне и не сыну! — с горечью констатировала Ирина. — Так уж он настроен кое-кем! Да вы не бойтесь, это минутное дело — главное, он вас не знает, вы не моя подруга... Он уже такой старый, сплошные причуды! Вам он поверит сразу!

Александра колебалась недолго. Она окончательно убедилась в том, что ей придется помочь незадачливой клиентке, когда попыталась дозвониться до Стаса и услышала в трубке, что телефон выключен.

— Он летит в самолете, — пробормотала она. — Ну что ж, раз уж это поручено мне и раз вы в таком сложном положении... Для начала найду мастера, переделать нишу. Вы готовы будете еще раз оплатить работу? Стас вернет деньги, когда вернется сам, конечно же.

Ирина горячо пообещала оплатить услуги нового мастера и даже предложила Александре комиссионные — за посредничество и хлопоты, связанные с убеждением свекра. Та отказалась и от первого, и от второго.

— Ну, что там, мне достаточно сделать пару звонков, и нишу возьмут в работу. За подобные вещи даже стыдно деньги брать! А с вашим свекром я поговорю, уж просто в качестве компенсации за то, что произошло. Я не виновата, конечно, но Стас-то виноват! Он должен был в точности воспроизвести ту нишу, которая была на снимке, а не заниматься самодеятельностью. Что поделать! Даже великие мастера порою делали роковые ошибки, а он... Он обычный, хотя и талантливый человек.

Они обменялись номерами телефонов и уговорились, что Ирина позвонит вечером и расскажет придуманную историю, которую Александра завтра утром досконально передаст больному старику. Прощаясь с гостьей (та выглядела слегка успокоенной), художница твердила про себя, что сделала все, что обязана была сделать.

«Конечно, мы идем на прямой подлог и обман, — рассуждала она, провожая Ирину и запирая за нею дверь мастерской Стаса. — Но, во-первых, мы выдаем новодельный гипс всего лишь за новодельный гипс, и малоизвестного мастера — за такого же. Во-вторых, старик очень болен, и это делается для того, чтобы скрасить ему последние дни жизни. Ну, и материальные интересы наследников задеты, конечно... Хорошо, что Ирина сказала об этом прямо, а не стала разыгрывать благородство — мол, жалеет старца, только и всего печали... Лишиться наследства из-за куска гипса в самом деле доля незавидная! Да еще какая-то аферистка маячит...»

Александра в течение двух часов нашла по телефону скульптора, с которым общалась когда-то и помнила его как хорошего профессионала. Тот, уяснив, в чем состоит задача, взялся изготовить нишу за четыре дня.

— Матрица, которую сделал Стас, не поможет, — заявил он. — Разве что при формовке новой ниши. А вот контррельеф для фигур придется делать заново, по старому можно воспроизвести только прежний оттиск. Придется делать оттиск ниши и все формовать. Хотя бы фото оригинала есть?

К счастью, предоставленные ранее заказчицей фотографии в целости обретались на стеллаже: в этом женщины убедились еще до ухода Ирины, совместно осмотрев мастерскую. Александра договорилась подождать скульптора в мастерской. Тот обещал приехать в течение часа.

— Аванс получишь на днях, — сказала она напоследок. — И прошу, не затягивай, потому что это для очень больного человека. Он может просто не дожить до радостного момента встречи с твоим шедевром.

Игорь (так звали мастера) пообещал сделать все возможное, чтобы уложиться в назначенный им срок.

— Но не раньше, чем в четыре дня! — сказал он. — Да и то, если все брошу и ради тебя займусь только этим! По твоим словам, ничего сложного, но выдержать залитый гипс — сутки, отделка, полировка, лакировка барельефа... Шлифовальной машинкой не везде отделаешься, придется вручную, и мелким наждачком, и замшей пройтись, и бархаткой... Да и ниша по размерам внушительная, гипс будет дольше схватываться... Так что я ограничен материалом и техникой. Ведь нужно, чтобы все было по высшему классу!

И Александра подтвердила, что рисковать качеством не стоит.

— Один рискнул уже, — проворчала она, кладя в карман замолчавший телефон.

Александра не без злорадства представила себе вытянутое лицо Стаса, узнавшего о том, что ему придется вернуть деньги, полученные за работу. Но худшим наказанием было другое: о промахе скульптора неизбежно узнают коллеги, и это упущение надолго станет поводом для шуток, зачастую очень злых. «Ну и поделом ему! — подумала она все еще под впечатлением встречи с Ириной. — Кинул мне ключи, оставил подачку и подсунул запоротый заказ! Может, он и сам в последний момент понял, что придется объясняться с клиенткой, вот и сбежал!»

— Что скажешь?

Женщина нарушила молчание, когда пауза, на ее взгляд, чересчур затянулась. Скульптор приехал меньше чем через час после звонка. Теперь он разглядывал нишу, сличая ее с изображением на трех снимках, обнаруженных в мастерской.

— Стас отличился, что еще сказать, — ответил Игорь, выпрямляясь и не сводя с ниши оценивающего взгляда. — Пьян был?

— Было бы удивительно, если бы нет, — пожала она плечами.

— Сама по себе работа сносная, но вот этак запороть композицию... Разве что нарочно?

Александра выразительно развела руками, показывая, что не решается ничего предполагать. Сама она, уже с большой уверенностью, считала, что скульптор понял свой промах и сбежал, предоставив ей выпутываться и объясняться. Телефон Стаса все еще не отвечал. «Быть может, он и не собирается его в ближайшее время включать, паразит этакий!»

Она с беспокойством смотрела на Игоря. Казалось, скульптор озадачен чем-то, и всерьез, — он все еще не мог оторваться от созерцания барельефа, не слишком, на взгляд художницы, оригинального по сюжету и исполнению. Игоря она ценила выше, чем своего непутевого соседа. Скульптор он был средний, ничем не прославившийся, но и не оскандалившийся, подобно Стасу, очень добросовестный. Для изготовления копии в рекордные сроки ничего другого и не требовалось. И вот он явно в чем-то сомневался.

— Ну, что такое? — не выдержала Александра.

— Видишь ли... — медленно, после паузы, проговорил Игорь. — Странное какое-то изображение. Я понял, что евангельский сюжет, ничего загадочного для меня в нем нет. Но фигуры... Ты заметила?

— Да что?! — воскликнула женщина. У нее сжалось сердце от недоброго предчувствия. Ничего хорошего от этой ниши она уже не ожидала. — Не понимаю, о чем ты!

— Иосиф, Мария, ослик, пальмы на заднем плане — все на местах. Но младенец... Обрати внимание — его словно бы и нет?

— Что ты имеешь в виду?! — Александра указала место на барельефе. — Вот же, вот, у Марии на руках!

— Ты считаешь, эти складки ее головного покрывала символизируют собой спеленатого младенца? — упрямо возразил Игорь. — Это просто покрывало свесилось с плеча на локоть. У нее ничего нет в руках. Я специально рассмотрел, мне же с этим работать. Это и не бегство в Египет, и не возвращение. Как хочешь, младенца тут нет. Это все происходит еще до Рождества Христова, если можно так выразиться.

— Не понимаю. — Александра взяла снимки, внимательно в них вгляделась, поднеся к свету. Комнату заливало ослепительное апрельское солнце, в веселых, обновленных лучах которого убожество старой неказистой обстановки особенно резало глаз. — Складки это или спеленатый младенец — дело не наше, а заказчика. На снимках то же самое, да и у клиентки были претензии только к направлению движения фигур. Так что, я вижу одну задачу — воссоздать барельеф в его первоначальном виде. Что там автор имел в виду, нас не касается.

И скульптор с нею согласился.

— Я это отметил, чтобы после ко мне претензий не было, — сказал он на прощание, упаковав увесистый сверток, который они вдвоем тщательно обвязали шпагатом. — Один-то раз уже неудача вышла. Начнут допытываться — где младенец? Значит, буду делать в точности по модели Стаса, но в зеркальном отражении.

* * *

Ирина позвонила вечером, когда Александра возвращалась от родителей. Художница была бесконечно воодушевлена тем, что ей сообщила мать, тайком от мужа, отведя дочь на кухню и шепча на ухо. Самые грозные подозрения врачей, на которые косвенно указывали анализы, не подтвердились: можно наконец вздохнуть спокойно.

— А почему ты это держишь в такой тайне? — спросила заинтригованная дочь. — Разве отец еще не знает?

И мать, смущаясь, путаясь в словах, сбивчиво объяснила, почему не торопится сообщать радостную новость мужу.

— Понимаешь, — неуверенно говорила она, боясь встретить взгляд Александры, — он впервые начал меня немного слушать. Начал выполнять рекомендации врачей, следить за здоровьем. Вот и анализы улучшились. А если я ему скажу, что опасности нет, он почти здоров, что же будет? Он бросит пить таблетки и через год заболеет по-настоящему!

— Но нельзя же оставлять его в таком заблуждении! — возразила изумленная дочь. — Он может заболеть и от мрачных мыслей! Если засыпать и просыпаться с мыслью, что у тебя страшная болезнь, то она обязательно придет!

Мать вынуждена была с нею согласиться и, скрепя сердце, обещала на днях сообщить мужу радостное известие. Отец, вероятно, все же что-то подозревал. Когда Александра прощалась с ним, он пытливо всматривался в ее сияющее лицо, но вопросов не задавал.

...Впервые за последние три месяца, с тех пор, как она узнала о болезни отца, у нее было так легко на сердце. Александра летела по улице, затем, не торопясь, шла через парк, к метро, наслаждаясь весенним пьянящим воздухом, заметно остывшим к вечеру, но все еще несущим в себе ванильную сладость оттаявшей почвы, перепревших палых листьев. Сквозь голые, неопушившиеся деревья виднелось розовое предзакатное небо, умиротворенное, словно румяное лицо спящего ребенка.

Женщина думать забыла о том, что случилось утром; вся тяжесть зимних тревог и сомнений таяла вместе с последними комьями почерневшего снега, еще видневшимися на рыжих газонах. Ей хотелось скорее взяться за работу. Она твердо намеревалась, вернувшись домой, просидеть до утра, заканчивая статью, давно заказанную специализированным изданием для экспертов и коллекционеров антиквариата. Несколько месяцев она откладывала работу в долгий ящик, и ей даже перестали звонить по этому поводу. Но теперь Александра почувствовала неожиданный приступ вдохновения.

Она мысленно дописывала статью, придумывая эффектные и вместе с тем информативные пассажи, когда у нее в сумке зазвонил телефон.

— Я не знаю, что делать, — громким шепотом проговорила, наспех представившись, ее новая знакомая. — Он не желает ложиться спать! Нервничает, капризничает! Я сказала, что нишу привезут через неделю, он устроил истерику! Боюсь, не кончилось бы это совсем плохо...

— Что же делать? — Александра остановилась, не доходя нескольких метров до ворот парка. — Ему правда так дурно от одного этого известия?

— Дурнее обычного, а этим много сказано... — уныло ответила Ирина. — Мне так неудобно вас просить, но если бы вы согласились приехать к нам прямо сейчас... Это в центре, неподалеку от вашего дома.

— Я сейчас не дома, но... Хорошо, — согласилась Александра. — Я приеду.

Мысль о пожилом больном человеке, которого требовалось успокоить, неожиданно переплелась у нее в сознании с мыслями об отце. Всю зиму она боялась худшего, и вот теперь, когда опасность миновала, исчезла, как дурной сон, Александра боялась ненароком навлечь ее снова — хотя бы отказом в помощи...

— Приедете? В самом деле? — недоверчиво переспросила Ирина. — Я вам очень благодарна... Только что вы скажете? Мы не условились, как следует...

— А что вы сами ему рассказали?

— Посылка упакована и ждет, когда ее перевезут в Москву, что же еще... Давайте я вас представлю как жену того человека, который привезет посылку! — осененная, с воодушевлением воскликнула Ирина. — Это будет самое надежное!

— Нет, мне это как-то не по душе, — замялась Александра. Она не могла понять, чем ей претит такой вымысел, но сама мысль называться чьей-то женой вызывала у нее отторжение. Груз двух несчастливых браков не позволял ей фантазировать на эту тему.

— Ну что же тогда... — озадачилась Ирина. — Может, вы просто знакомая этого благодетеля? Были там, на Урале, в командировке и он попросил вас сообщить, что задержится по болезни?

— Мне что-то кажется, это недостаточно убедительно. — Художница все еще сомневалась. — А если ваш свекор попросит телефон этого неведомого благодетеля? Почему бы им не созвониться и не поговорить напрямую? Зачем еще какой-то посредник в виде меня? Наверное, разумнее договориться со скульптором, которому я отдала нишу в работу. Он сможет сказать вашему свекру пару слов по телефону, что болен, скоро приедет, а ниша в порядке...

Ирина мелодично, неожиданно весело рассмеялась:

— Ну что вы, это ни к чему не приведет! Виктор Андреевич совершенно глух! Последние два года он не слышит вообще ничего, зато отлично приноровился читать по губам. Чтобы поговорить, ему нужно видеть лицо собеседника!

— Хорошо, — смирилась Александра. — Пусть будет по-вашему, пусть я буду знакомая того человека.

Записывая адрес, она ощущала внутреннее сопротивление. Ей предстояло лгать, лгать много, а это противоречило блаженному, умиротворенному настроению, в которое она было погрузилась.

«Почему мне не удается побыть счастливой хоть недолго? — думала художница, спускаясь в метро. — Как только я почувствую радость, ощущу гармонию своего существования, скажу себе, что все наконец хорошо — как тут же является неприятность, да еще крупная!»

Ей претило вмешиваться в дела незнакомой семьи, но ситуацию нужно было спасать. Стас по-прежнему не отвечал на звонки, и Александра поклялась себе, что эта выходка обойдется ему куда дороже оставленных им денег.

Глава 3

И впрямь, заказчица жила неподалеку от того места, где обитала сама художница. Старинный серый дом в Кривоколенном переулке находился в пятнадцати минутах ходьбы от вымершего особняка, где располагались мастерские.

Ирина ждала внизу, у подъезда. Завидев приближавшуюся женщину, она бросилась к ней:

— Я вышла навстречу, чтобы вас предупредить! Пожалуйста, обязательно скажите им, что вы видели нишу и с ней все в полном порядке!

— Им? — переспросила неприятно удивленная Александра.

— Да, он потребовал позвать эту... Нину, — лицо Ирины исказила гримаса отвращения. — Без нее отказывался разговаривать.

— И вы не могли возразить? — Александра следила, как тонкие, подрагивающие пальцы молодой женщины нажимают кнопки на кодовом замке подъезда. Дверь с писком открылась, Ирина нетерпеливым жестом пропустила художницу вперед.

— Что толку возражать? — буркнула она, входя вслед за гостьей в подъезд. — Эта проходимка своего влияния на свекра ничуть не утратила. Приходит как к себе, ведь он сам ее зовет. Препятствовать я не могу, у меня нет права голоса... Знали бы вы, что я от них терплю! Если бы не Иван!..

В неярком свете ламп, освещавших просторный, окрашенный бледно-желтой краской подъезд, лицо Ирины казалось особенно уставшим, даже изможденным. Теперь Александра дала бы ей не меньше сорока.

— Второй этаж, — опережая вопрос, произнесла Ирина. — Держитесь, не давайте себя сбить. Они что-то подозревают, кажется. Говорите спокойно, будто вас ничто не волнует.

«Меня и правда ничто не волнует! — заметила про себя художница. — К счастью...» Поднявшись на второй этаж, Александра вслед за Ириной остановилась перед старинной двустворчатой дверью, обитой черным потертым дерматином. Ирина потянула на себя одну створку и вошла в квартиру. Александра последовала за ней.

Обширная прихожая встретила вошедших женщин настороженной тишиной. Под высоким потолком, беленным последний раз лет двадцать назад, покрытым тут и там рыжими следами протечек, горела пятирожковая люстра. Пыльные, узкие желтые плафоны, овеваемые дрожащими нитями паутины, источали густой, как подсолнечное масло, свет. Ирина молча, с сердитым, разом застывшим лицом разделась и, взяв у Александры пальто, повесила его на крючок старинной вешалки, увенчанной отполированными оленьими рогами.

В прихожую выходило несколько дверей, но лишь одна была открыта. Туда они и вошли.

— Вот, — сказала Ирина, прикасаясь к локтю своей спутницы. — Я ее привела.

Обращалась она к щуплому пожилому мужчине, сидевшему в глубоком кресле, спиной к окну-эркеру. С одной стороны кресла высилась пыльная пальма с косматым стволом. С другой стояла женщина лет пятидесяти, как навскидку предположила Александра.

— Вы хотели с ней поговорить, — продолжала Ирина, глядя на свекра. — Вот, человек ради вас приехал, на ночь глядя.

Она говорила громко, сильно артикулируя, чтобы облегчить задачу чтения по губам, как догадалась Александра.

Мужчина пристально смотрел на невестку. Его глаза, водянисто-голубые, немигающие, уставились на нее с выражением напряженного внимания и жгучей бессильной ненависти. Александре достаточно было встретить этот взгляд, чтобы понять, какие родственные чувства питает старик к Ирине.

Женщина, стоявшая рядом с креслом, напротив, улыбалась и даже благожелательно кивнула гостье. Но в ее улыбке было столько яда, что Александра внутренне поежилась. «Угораздило же меня попасть в осиное гнездо!» Эти двое внушили ей настолько сильные опасения, что она не сразу решилась заговорить. «Старик не поверит ни одному слову, а эта мадам, кажется, заранее записала меня в мошенницы! Такая улыбка... Хуже гримасы!»

— Нишу пришлют через несколько дней, — сказала художница, стараясь, в подражание Ирине, четко артикулировать, чтобы мужчина мог читать по губам. — Обязательно!

— Вы поняли? — с нажимом уточнила Ирина, обращаясь к свекру.

Тот не шевельнулся. Его взгляд был по-прежнему прикован к губам Александры, хотя она молчала. Помявшись, женщина добавила:

— Через четыре дня ниша должна быть в Москве.

— А вы ее видели? — спросила Нина, с губ которой не сходила любезная улыбка.

— Видела! — с чистой совестью ответила Александра.

— А человек, который ее привезет, ваш родственник, друг? — не унималась Нина.

— Знакомый, — ответила художница, отрывисто и сухо, давая понять, что не расположена к развернутой беседе. — Я только что из Екатеринбурга, мы там встречались.

— Ясно... — протянула Нина и нагнулась к старику, заглядывая ему в лицо: — Ну что, Виктор, не стоит больше задерживать человека? Правда поздно!

Но старик не взглянул на нее. Вытянув шею, он поверх головы склонившейся к нему Нины смотрел на Александру. Его глаза расширились, губы беззвучно зашевелились. Внезапно он схватился за грудь, скрытую складками вельветового черного халата, надетого поверх свитера.

— Вам плохо? — бросилась к нему Ирина.

Нина, выпрямившись, отчеканила:

— Сама справлюсь, не в первый раз. Проводи свою подругу!

— Мы не подруги! — возразила Ирина.

— Все равно, проводи!

Не предлагая больше своей помощи, Ирина сделала Александре знак, и женщины вышли из комнаты. Закрыв дверь, Ирина приложила палец к губам и жестом пригласила художницу следовать за собой. Проведя ее к дальней двери, расположенной в торцовой стене прихожей, она отперла ее ключом и шепнула:

— Зайдите на минутку.

Александра молча приняла приглашение.

Оказавшись в комнате, Ирина заперла дверь изнутри, повернув колесико допотопного замка. Затем, словно силы разом покинули ее, опустилась на кушетку больничного образца, в изголовье которой лежала свернутая в виде голубца постель. Роль капустного листа выполняло истертое, местами дырявое байковое зеленое одеяло.

— Вы видели? — прошептала Ирина. — Старик смотрит на меня как на врага, эта, когда появляется, шипит с фальшивой улыбкой... Я всегда перед ними не права.

Александра промолчала. Она чувствовала, что молодой женщине не так важен ее ответ, как само присутствие, молчаливое участие. «Да и что тут скажешь? — спросила она себя, обводя взглядом комнату. — Все и так ясно. Незавидная жизнь. И ради нее она бросила профессию, рассталась с мужем...»

Ирина сидела, спрятав лицо в ладонях. Ее плечи не дрожали, всхлипываний слышно не было. Казалось, женщина оцепенела. Александра не решалась попрощаться, хотя задерживаться было недосуг. Но, вспомнив о статье, она ощутила лишь былое равнодушие к теме. Идеи, которые посетили ее этим вечером, уже не казались оригинальными, придуманные на ходу фразы выглядели банальными и пустыми. «Да никуда статья не уйдет!» — сказала она себе, переводя взгляд с предмета на предмет, по привычке скупщика антиквариата оценивая обстановку на предмет ценности и старины.

Ремонта в этой узкой, вытянутой в длину комнате с одностворчатым окном не было давным-давно. Александра увидела серый потолок с трещинами на штукатурке, выцветшие обои с невнятным рисунком, оконный переплет, покрытый густым слоем пожелтевшей масляной краски. Вся мебель стояла вдоль одной стены — кушетка, маленький обеденный столик, два стула, шифоньер с полированными дверцами — часть румынского или югославского гарнитура советских времен. Другой мебели не было. На полу, возле кушетки, лежал коврик, связанный из разноцветных тряпочек. На стене, над столом, висел календарь. За позапрошлый год, в чем, взглянув на цифры внизу листа, тут же убедилась Александра. Обстановка убогая, характерная для захудалой съемной комнаты. Художница с удивлением соотнесла эту неприглядную, грошовую мебель и нищенскую постель с дорогой одеждой Ирины. Та казалась случайной посетительницей в комнате, но никак не ее обитательницей. Молодая женщина как будто по ошибке на минуту заглянула сюда... Поверить в то, что она изо дня в день тут живет, не первый год, Александра могла с трудом.

«Не только живет, но и ухаживает за ненавидящим ее свекром, терпит его капризы. Да еще эта охотница за наследством, Нина, украшает существование...»

Внешность той женщины запечатлелась в ее памяти так ясно, что художница могла бы набросать беглый портрет Нины, не сверяясь с оригиналом. Небольшой рост, коренастая фигура, крепкие руки. Квадратное лицо с развитой челюстью, низкий широкий лоб, увенчанный короной из завитых, обесцвеченных до желтизны волос. Взгляд небольших, глубоко посаженных темных глаз — внимательный, цепкий, умный. Одета женщина была без малейших претензий — серый свитер с высоким воротом, бесформенные флисовые брюки.

— Эта женщина, Нина, — произнесла Александра негромко, боясь нарушить тишину, вновь установившуюся в квартире, — откуда у нее такое влияние на вашего свекра?

— Да кто же знает? — с тоской вымолвила Ирина, уронив руки на колени и открыв раскрасневшееся лицо. Ее глаза были сухи, но блестели. — Вошла в доверие, и все тут. Была единственным человеком, который за ним смотрел пару лет, пока не приехала я. Он ей доверяет полностью, а она просто вертит им...

Александра недоверчиво покачала головой:

— Простая сиделка, да еще бывшая... Удивительно! А из-за чего вы ее уволили?

— Это решал Иван, не я, — Ирина пожала плечами. — Мне он предоставил самое легкое и приятное, — в ее голосе зазвучали дребезжащие саркастические нотки, — приехать и выставить ее отсюда...

— А он-то почему так решил?

Александра не ждала ответа. В конце концов, собеседница не обязана была озвучивать семейные дрязги постороннему человеку. Но Ирина с готовностью ее просветила:

— Иван сказал, что она стала очень дерзко разговаривать с ним по телефону, необъяснимо дерзко! Намекала на то, что он должен держаться скромнее, что у него маловато прав ей указывать, — ее буквальные слова... Иван встревожился, ведь отец не мог с ним даже поговорить, он не слышал его голоса в трубке! Все разговоры велись при посредничестве этой женщины, а правильно ли она озвучивала отцу слова сына... Словом, нельзя было это так оставить. Я все бросила и приехала. Поверьте, я выдержала настоящую битву!.. Нина только с виду такая благожелательная, а на самом деле...

Внезапно Ирина осеклась и, вытянув шею, повернула голову к двери. Александре тоже послышался шум в коридоре. Теперь она отчетливо различила звук приближающихся шагов. Шаги остановились прямо за дверью. Ручка повернулась (художница с удивлением отметила, что ее сердце забилось при этом быстрее, хотя бояться было нечего) и вернулась в прежнее положение. Женский голос произнес:

— Ты здесь?

— Да, — не сразу ответила Ирина. — Я переодеваюсь.

— А эта, из Екатеринбурга... Она ушла? Я не слышала.

— Ушла, — хладнокровно заявила Ирина. — Что ей тут делать? А ты-то сама уходишь или ночевать здесь собралась?

Нина приглушенно рассмеялась.

— Уйду, не переживай. Вот чай Виктору заварю и уйду.

— Я заваривала чай в обед...

— Да я его выплеснула, пить же невозможно! Бурда. Ты никогда ничему не научишься толком...

И шаги удалились. Ирина вполголоса, с горечью заметила:

— Характерная сцена! Чай, конечно, я завариваю как полагается, не хуже, чем делает она. Но ей важно унизить меня, и в глазах свекра, и в моих собственных... Показать, какая я неумелая, безрукая... Нина мне сказала однажды, что, если бы я осталась во Франции и продолжала там в голом виде задирать ноги на сцене, толку было бы больше.

— Не мое это дело... — осторожно начала Александра, — но, кажется, разумнее всего было бы вызвать сюда вашего супруга. Только он один сможет успокоить старика и окончательно выгнать Нину.

— Это исключено, я вам уже говорила, — отрывисто произнесла Ирина. — Иван не приедет.

— Но если отец болен, почти при смерти, разве нельзя взять пару дней отпуска?! Неужели контракт настолько жесткий?

— Настолько, — мрачно ответила молодая женщина.

— Простите, — Александра смотрела на нее с недоумением, — но я никогда не слышала, чтобы человек не мог приехать к умирающему отцу. Может, я не слишком осведомлена о том, как все происходит в театральной среде...

— Иван незаменим, неужели не понятно? — с досадой ответила Ирина. — На нем держится все шоу. Если художник исчезнет хоть на пару дней, хоть на день, все окажется под угрозой. А это огромные деньги. Я два года объясняю ситуацию старику, а он не верит, и теперь вот вы...

— Я только спросила. — Александра коснулась дверной ручки: — Можно мне идти? Поздновато уже.

Ирина, встрепенувшись, встала с кушетки:

— Погодите, надо дождаться, когда Нина уйдет. Я ведь сказала ей, что вас тут уже нет.

— Но не могу ведь я тут ночевать... А если она задержится?

— Посидите здесь тихонько, я ее попробую поторопить.

С этими словами Ирина отперла дверь, выскользнула в коридор. Александра услышала, как в замке снаружи повернули и вынули ключ.

Женщина со вздохом опустилась на кушетку. Она могла бы отпереть замок изнутри и уйти, не прощаясь. Но ей вовсе не хотелось столкнуться в передней с Ниной и выслушать неприятные вопросы, которые, как она догадывалась, та отлично умела задавать. Оставалось ждать.

Прислушиваясь к звукам чужой квартиры, художница различала где-то приглушенные голоса. Казалось, неподалеку ожесточенно спорят: один голос говорил быстро и словно сердито, второй отрывисто возражал. Слов разобрать было невозможно, но интонации звучали красноречиво. «Этак они до полуночи будут ругаться! — Александра взглянула на часы. — А мне-то что делать?!»

Внезапно в замке щелкнул поворачиваемый ключ. Женщина встала, ожидая увидеть Ирину и одновременно удивляясь ее внезапному возвращению, — казалось, именно ее голос она только что слышала. Но когда дверь отворилась, Александра оторопела. На пороге стоял хозяин квартиры.

Он оказался высоким, этот худой старик, закутанный в стеганый вельветовый халат. Тощая морщинистая шея торчала из ворота свитера, придавая ему сходство со стервятником. Застывшее страдальческое выражение глаз внушало сочувствие даже поневоле. Александра, внутренне занявшая сторону Ирины, все-таки жалела старика, которому не суждено было перед смертью повидаться с единственным сыном.

Виктор Андреевич стоял, подавшись вперед, опершись обеими руками на трость. Он пристально смотрел на Александру, его лицо не выражало и тени удивления. Казалось, он был заранее уверен в том, что обнаружит в комнате невестки только что ушедшую гостью.

Александра, сделав неловкий жест, который должен был символизировать извинение, проговорила, глядя ему в глаза:

— Я задержалась. Сейчас уйду.

— Стойте! — Слабый, бесцветный голос прошелестел, как сухой лист, растертый между ладонями. — Скажите...

Старик замолчал. Александра, глядя на него, гадала, сколько ему может быть лет. «Восемьдесят? Чуть меньше? А Ирина еще совсем молода. Сколько же лет ее мужу? Может, и он уже в возрасте?»

— Скажите... — повторил старик, едва шевельнув губами.

— Да? — вопросительно произнесла она.

— Вы давно ее знаете?

Он не назвал имени невестки, но Александра поняла, о ком идет речь: так неприязненно исказилось лицо мужчины.

— Я ее не знаю, — ответила художница. — Совсем не знаю.

Старик понял: он напряженно смотрел на губы Александры, пока она говорила, и слегка кивал, словно выделяя каждый слог.

— Не знаете, — утвердительно повторил он, когда женщина умолкла. — А нишу видели?

— Видела.

Виктор Андреевич смотрел выжидающе и тревожно, словно краткого ответа было ему недостаточно. Александра видела, что ее слова ничуть его не успокаивают, напротив, вселяют в старика едва ли не панику. И все же, теряясь в догадках, повторила:

— Я видела нишу. Ее привезут обязательно.

Виктор Андреевич внезапно махнул рукой, словно пытаясь отклонить удар, направленный ему в лицо:

— Лжете!

— Уверяю вас...

— Это кара Божья...

Александра едва различила слова, произнесенные на выдохе, и, потрясенная, переспросила:

— Как вы сказали? Почему?

Но он уже не смотрел на нее и не прочел по губам последних слов. Отвернувшись, тяжело опираясь дрожащей рукой о палку, хозяин квартиры побрел прочь по коридору и скрылся за дверью своей комнаты.

Женщина, потрясенная этим кратким разговором, осталась стоять на пороге. Она не собиралась больше прятаться, раз Виктор Андреевич ее уже видел. «Немедленно ухожу, — решила Александра. — Вру я так неуклюже, что не обманула даже старого больного человека, который к тому же ничего не слышит!»

Она сделала несколько шагов по коридору и остановилась возле приоткрытой двери, за которой виднелась укрепленная на четырех железных ножках кухонная раковина — старая, с отбитой эмалью, едва ли не ровесница той, что обитала в ее мансарде. Толкнув дверь, Александра рассчитывала обнаружить в кухне Ирину: голоса споривших женщин доносились, как ей показалось, именно отсюда.

Но Ирины в помещении, довольно просторном и сильно запущенном, не оказалось. У окна, узкого и давно не мытого, стояла Нина и, склонившись над беленьким столиком, резала на доске овощи. Приготовленная кастрюля ожидала рядом. Нож так и мелькал в маленьких сильных руках, со стуком и щелканьем разрезая сырую крепкую плоть багровой свеклы. Женщина подняла голову и неожиданно приветливо улыбнулась растерявшейся Александре:

— А я знала, что вы еще не ушли. Когда бы вы успели мимо нас проскочить? Она все врет. Все время!

— Где Ирина? — преодолевая неловкость, поинтересовалась художница.

— Я ее в аптеку дежурную послала. Лекарство кончилось. — Нина положила нож на доску и, сполоснув над раковиной окрашенные свекольным соком руки, вытерла их полотенцем. — Хоть какую-то пользу принесет. Вы с нею не подруги, значит?

— Мы не знакомы почти. — Александра горячо желала уйти, но медлила. Что-то удерживало ее в этой большой запущенной квартире, все сильнее тревожило и настораживало — и дело было уже не в испорченном заказе.

— Как же она вас нашла? — Женщина подошла почти вплотную. — Откуда вы вдруг взялись?

Художница, теряясь от такого напора, собралась было повторить отрепетированную историю, но Нина остановила ее решительным жестом:

— Ладно, здесь не место для разговоров, сейчас Ирина вернется. Пойдемте, поздно уже! Не то метро закроют!

— Мне в метро не нужно, — ответила Александра, все же следуя за Ниной к входной двери.

Та сняла с вешалки пальто гостьи и буквально впихнула его ей в руки:

— Все равно я вас провожу! Подождите!

Женщина нырнула в дверь, за которой скрылся хозяин квартиры, и с минуту было тихо. Голосов Александра не слышала. Вновь появившись, Нина с раскрасневшимся лицом объявила:

— Велела ему спать. Виктору нервничать нельзя, а эта негодяйка заставляет его переживать... Скоро добьется своего, загонит старика в гроб. Идемте!

Накинув пальто, Александра подчинилась настойчивому приглашению. Дожидаться Ирину не стоило — им нечего было друг другу сказать. Выслушивать жалобы молодой женщины на капризного свекра и подозрительную бывшую сиделку Александра больше не желала. Ее манило выслушать противоположную сторону, а Нина явно намеревалась высказаться.

Женщины вышли из подъезда и остановились, глядя друг на друга.

— Вы на машине или рядом где-то живете? — спросила Нина.

— Живу неподалеку, — сдержанно ответила Александра.

— Счастливица вы! Жить в центре не каждый может себе позволить! Я вот существую в комнате на окраине, туда ехать часа два.

— Значит, вам надо торопиться. — Художница вынула из кармана часы с оторванным ремешком и, поднеся их к свету фонаря, взглянула на циферблат. — Почти полночь.

— Ничего... Главное, в метро попасть, дальше уж все равно пешком... — отмахнулась Нина. — Пойдемте потихоньку к «Тургеневской»... Мне вам коечто сказать надо...

Но, когда они двинулись по переулку в сторону бульвара, Нина внезапно сделалась молчаливой. Она не торопилась заговорить первой, а словно выжидала, не сделает ли это Александра, — такое впечатление создалось у художницы. «Если она так и будет играть в молчанку, мы расстанемся ни с чем!»

Эта мысль на удивление расстраивала ее. Александра повторяла про себя, что сделала все возможное, чтобы исправить ситуацию с испорченным заказом. В кратчайшие сроки нашла отличного мастера, помогла клиентке оправдаться перед свекром... Но на душе у нее было нелегко. Взгляд больного старика, отчаявшийся, жалкий и вместе с тем полный жгучей ненависти и надежды, немо задал ей некий вопрос, который она никак не могла понять...

Нина остановилась, не доходя до бульвара нескольких метров. В шаге от нее из водосточной трубы бежала тонкая струйка талой воды, время от времени, обрызгивая ей плечо. Женщина этого не замечала. Она в упор смотрела на Александру. Та не выдержала:

— Ну что же? Мне-то нечего вам сказать. Это вы обещали...

— А я пытаюсь понять... — Нина заговорила неожиданно весело, словно ситуация ее смешила. — Вы правду говорите или обманываете? Ведь вот знаю, что обманываете, и Виктор все сразу понял. Но у вас такой честный вид... даже удивительно!

Александра, замешкавшись на миг, все же ответила:

— Я говорю правду. Мы с Ириной не подруги. Я ее сегодня впервые увидела.

— Может, и так... — Нина испытующе смотрела ей в лицо. — Но в остальном-то? Касательно ниши вы не можете говорить правду.

— Почему это? — Александра с вызовом подняла подбородок. Самоуверенный тон собеседницы ее возмущал.

— Вы наговорили бедняге, что ниша в порядке, ее на днях ваш знакомый привезет... А ниши-то никакой в помине нет. Давно уже!

У художницы бешено заколотилось сердце.

Перебарывая внезапно нахлынувшую дурноту, она пробормотала:

— Ниша есть, вы ошибаетесь. Я видела ее своими глазами.

Нина предостерегающе подняла руку:

— Неправда!

— А я говорю вам, ниша будет в Москве через несколько дней... — упорствовала Александра, впрочем, уже без энтузиазма.

Она поняла теперь значение жгучих ненавидящих взглядов, которые бросал старик на невестку, смысл выпада, направленного против нее самой. У нее запылали щеки, их не остужала даже ночная прохлада. Собеседница явно уловила прозвучавшую в ее сникающем тоне нерешительность и добавила уже более мирно:

— Вы не виноваты, это она наверняка вас подговорила! Так я и Виктору сказала. Ведь она научила вас, как врать?

Александра промолчала. «Надо просто повернуться и уйти, не продолжать разговор! — думала она, оглядывая пустой переулок, сказочно освещенный, лоснящийся от сырости бульвар, по которому проходили редкие прохожие. — Я не имею права подставлять заказчицу, не стоит вникать в эту историю. Мало ли что здесь творится? Ирина действительно соврала старику и меня заставила врать...»

Нина как будто улавливала ход ее смятенных мыслей. Спокойно, уже без тени прежнего напора, она пояснила:

— Ира преследует свои цели, а вас просто использует. И нас. Она всех использует! Нет ведь никакой ниши на свете, она давно разбита. Виктор это прекрасно знает. Он сам же ее когда-то и разбил! Сам, лично!

— Почему же он тогда... — вырвалось у Александры.

Нина мгновенно поняла и подхватила:

— Просил ее прислать? Да уж были причины. Хотел кое в чем убедиться... И убедился, бедняга!

Фонарь бросал на лицо стоящей напротив женщины причудливые тени, различить выражение ее темных глаз при таком освещении было невозможно. Но Александре почудилось, что они увлажнились. Когда Нина после паузы заговорила снова, ее голос слегка сел:

— Несчастный... До последнего надеялся...

— О чем вы? — не выдержала Александра. — Что происходит?

— Ира хочет ограбить старика, — бросила Нина. — Свести в могилу и ограбить. Я единственная, кто ей мешает, а то бы она уж давно справилась. Вы точно не подруги? Может, она вам заплатила за то, чтобы вы к нам пришли?

«Она говорит “к нам”, — отметила про себя Александра. — Собственно, Ирина ведь предупреждала, что бывшая сиделка имеет виды на имущество Виктора Андреевича. Квартира в таком месте сама по себе — огромное состояние! А если это не все наследство?»

— Я ни копейки не получала от нее, — произнесла наконец художница. — Я была с ней не знакома до сего дня.

— Но как она на вас вышла? — возразила Нина. — Не на улице же остановила?

— Все-таки вы бы мне сказали прямо, что у вас происходит? — вопросом ответила Александра. — Я вижу, затевается какая-то махинация, но смысла ее не понимаю. Вы говорите, Ирина хочет ограбить старика...

— А она вам, небось, сказала, что воровка — я?! — неприязненно усмехнувшись, спросила Нина. — Да уж молчите, вижу, что так. Нет, у меня личных материальных интересов никаких. Я только хочу сберечь имущество Виктора для его законного наследника, для сына... — И негромко, будто про себя, после краткой паузы добавила: — Если тот еще жив.

...Внезапно упавший с темного неба ливень — первый весенний ливень, гремящий и ледяной, — заставил Александру отскочить под козырек ближайшего подъезда. Отряхивая промокшие волосы, она изумленно смотрела на женщину, которая спряталась от дождя, последовав ее примеру.

— Как вы сказали? — переспросила художница. Ей показалось, что она ослышалась.

Нина, невозмутимо утирая платком лоб и щеки, проговорила, не глядя на нее:

— Дело это темное, очень нехорошее. Вам, человеку постороннему, в нем не разобраться. Потому я и спрашиваю вас снова, кем вы ей доводитесь? Если свои люди, лучше сразу попрощаемся. Если вы ее не знаете, выслушайте сперва меня.

— Я слушаю... — вздрогнув, не то от холода, не то от волнения, ответила Александра. — Но... вы не опоздаете на метро?

Собеседница, повернувшись к ней, негромко рассмеялась, приложив скомканный платок к губам:

— Так я и знала! Вы с ней заодно и не хотите тратить на меня время!

Александра вспыхнула:

— Пожалуйста, не выдавайте за действительность свои фантазии! Сами говорили, что боитесь опоздать на метро, а теперь как будто забыли об этом!

— Если опоздаю, вернусь ночевать на квартиру к Виктору, — просто ответила Нина. — Что же тут поделаешь? Не выгонит же меня Ира.

«Быть может, она и хочет опоздать, чтобы заночевать там! — пришло в голову Александре. — Представляю, как обрадуется Ирина... Этим она будет обязана мне!» Художница снова вынула часы и попыталась разглядеть циферблат. Было слишком темно: лампочка под козырьком не горела, а ближайший фонарь, с колпака которого лились струи воды, светил тусклее сквозь поднимавшийся туман. Воздух, насыщенный влагой, щекотал горло, вызывая нестерпимое желание откашляться. Александра глубоко вздохнула:

— Как знаете, вам решать, где ночевать. Я готова вас выслушать. Только мы здесь простудимся. Давайте дойдем до какого-нибудь заведения, выпьем кофе в тепле. Здесь много круглосуточных забегаловок.

— У меня нет денег ходить по кафе! — немедленно выпалила Нина.

— Я вас угощу, — Александра недоуменно пожала плечами. — Не беспокойтесь!

Зонта у нее не оказалось, пришлось тесниться под зонтиком Нины. Когда женщины перешли бульвар и добрались до кафе, работавшего всю ночь, дождь слегка поутих, но поливал город с ровным воодушевлением, которое позволяло предположить, что он зарядил надолго.

Войдя в зал, в этот час полупустой, Александра пробралась между тесно поставленными столиками в угол и, сняв влажное пальто, перекинула его через спинку стула.

— Наконец можно поговорить, — сказала она, присаживаясь к столику. — Что же вы? Садитесь.

Спутница, помедлив, последовала ее примеру, разделась и села. Вид у нее был мрачный, складки у губ прорезались отчетливее, она казалась старше пятидесяти лет, которые ей сперва дала Александра.

— Зря я затеяла этот разговор, — вымолвила она, когда официантка удалилась, приняв заказ на две чашки кофе. — Ни к чему он не приведет. Вы мне все равно правды не скажете, а я напрасно буду перед вами распинаться. И вы все передадите ей.

— Ирине? — Александра удивленно подняла брови. — А зачем? Я вам не лгу, мы не подруги. Она мне не платила, да я бы и не взяла денег за такое странное поручение... Но вы правы, нас связывают некоторые отношения... Рабочие, чисто формальные. Мой друг не выполнил кое-какие обязательства перед ней, и вот мне пришлось, в его отсутствие, всем заняться.

— И только? — недоверчиво спросила Нина.

— Больше ничего!

Нина сцепила маленькие крепкие руки, усеянные веснушками. Положив их на стол, она рассматривала клетки на пластиковой скатерти. Александра почти допила свой кофе и уже собиралась попрощаться, решив, что женщина не расположена откровенничать, когда Нина, не поднимая головы, вдруг заговорила.

— А что же мне делать? — Казалось, она адресовала слова не к собеседнице, а к своей чашке, на внутреннем ободке которой медленно таяла молочная пена. — Скажу я или не скажу — толку все равно не будет... Бедный Виктор, за что ему такой горький конец? Один как перст... Жену потерял, сына потерял, никого у него больше нет...

— Почему вы говорите, что его сын умер? — изумленно воскликнула Александра. — Откуда вы это взяли?

— Если вы ничего об этом не знаете, что вас так удивляет? — резонно возразила Нина. — Или... знаете все-таки?

Александра пожала плечами:

— Ирина сказала два слова о том, что ее муж работает за границей... Стало быть, он жив.

— Вам-то, конечно, достаточно двух слов, — заметила Нина.

— На что вы намекаете? Почему вы думаете, что он умер?

Взяв ложечку, Нина помешивала кофе, словно нарочно оттягивая момент, когда придется ответить. Наконец неторопливо произнесла:

— В двух словах не расскажешь, вы ничего не поймете и не поверите. Чувствую, мне придется-таки ночевать сегодня у Виктора. И к лучшему. У меня сердце не на месте, когда он остается с ней наедине... Неизвестно, что она сделала с мужем! Если бы не я, может, и ее свекра уже в живых бы не было...

Глава 4

Внезапно успокоившись, Нина заговорила размеренно и неторопливо, глядя в глаза собеседнице, даже смущая ее этим пристальным вниманием. Александра, слушая рассказ, все больше убеждалась в том, что и в самом деле столкнулась с запутанной историей. Новодельный гипсовый барельеф никак не выглядел хранителем таких зловещих загадок...

...Ирина, по словам рассказчицы, ворвалась в жизнь свекра грубо и бесцеремонно, как погромщик, и сразу завела свои порядки, убыстрившие угасание больного старика.

— Мы не ждали ее, не было речи о том, что она вдруг приедет! — Нина достала сигареты. — Иван звонил буквально за неделю до ее приезда и ни слова об этом не сказал. Я же сама с ним говорила, Виктор не слышит... И вот, на тебе! Откуда ни возьмись, явилась эта красотка! Знать-то мы знали, конечно, что Иван женился, но и только. Не видели даже свадебных фото. Они их якобы не делали! Вы можете в такое поверить?!

...Ирина вела себя агрессивно. Едва поздоровавшись со свекром, даже не спросив о его здоровье, молодая женщина принялась скандалить с сиделкой.

— Впечатление было такое, будто она всю дорогу продумывала, что скажет, как будет оскорблять меня... Наговорила чепухи, будто бы я имущество старика распродавала, деньги прикарманивала, будто на его наследство позарилась. А продала-то я всего пару картин, да кое-какие безделушки, по просьбе самого Виктора, чтобы ему лекарства оплачивать. И какие мы там за них деньги выручили, одно горе! Продавать ведь тоже надо уметь. — Выпустив дым углом рта, Нина усмехнулась: — Но Ирине-то этого не втолкуешь, она твердит о каких-то огромных деньгах. Понятно, о чем все ее мысли. Ради этого и приехала. Меня она не слушала, с Виктором поговорить толком не могла: тараторила, он ее не понимал, с непривычки. Сам так разволновался, что я «скорую» вызывала. Понимаете, он увидел Ирину, решил, что и сын приехал, хотя тот и не обещал...

Женщины поссорились в первый же день. Нина не отрицала, что вспылила и, не удержавшись, высказала гостье много лишнего.

— А с другой стороны, — философски заметила она, — даже если бы я смолчала, вытерпела... Что бы изменилось? Она же добивалась, чтобы я ушла. Выкинула мои вещи на лестницу, можете себе представить... Устроила представление для всего подъезда! Я сказала, что могу и уйти, а Виктор только рукой махнул. Жена сына все-таки, Иван для него единственный свет в окошке... И к тому же она твердила, что Иван ей велел меня выставить. — Нина пожала плечами: — Когда я говорила с ним незадолго до ее приезда по телефону, он словечка грубого не сказал. Больше, правда, не звонил... Ни разу его голоса с тех пор не слышала. Вот и подумайте...

Повисла многозначительная пауза, в течение которой Нина успела выкурить еще одну сигарету. Александра, ожидавшая продолжения, нетерпеливо спросила:

— К чему вы мне это рассказываете? Я не понимаю.

— Ну как же? — Нина остановила на собеседнице загадочный взгляд темных глаз, жестких, тусклых, как у каменной статуи. — Я же объясняю: она приехала без предупреждения, мы ее не ждали, а Иван после ее приезда звонить вдруг перестал.

— И... какой смысл вы во все это вкладываете? — нахмурилась Александра.

— Боже мой... — Нина разогнала дым, повисший перед ее лицом, и раздраженно качнула головой: — Вы не хотите меня понять? А ясно, кажется: мы ее никогда не видели прежде, даже на снимках. И тут вдруг она является, выгоняет меня из дома. После этого Иван якобы звонит еще не раз, но уже ей, а она все разговоры передает свекру. Я его голоса больше не слышала!

— То есть, — медленно проговорила художница, — вы хотите сказать, что, может, он вовсе и не звонит?

— А как проверить? — парировала Нина.

— Погодите, — женщина приложила ледяную ладонь к горящему лбу. — Да это просто нелепо!

Ее мысли еще путались, но смысл слов собеседницы постепенно прояснялся. Истина, ужасная, но все же вполне вероятная, начинала приобретать более отчетливые очертания. «Ведь, может, так и есть... — твердила она про себя. — В самом деле, если старик не в состоянии взять трубку и услышать голос сына, которого не видел несколько лет, как он может быть уверен в том, что сын жив?! Что это за контракт, который не позволяет навестить умирающего отца? Мне это сразу показалось подозрительным...»

Нина не торопила ее с ответом, казалось чувствуя напряженную работы мысли собеседницы. Наконец Александра вымолвила, с тревогой взглянув на нее:

— Но есть же другие пути проверить, жив он или нет! Можно позвонить ему во Францию. Вы же наверняка знаете номер?

— Тот, с которого он звонил прежде? — мгновенно откликнулась женщина. — Знаю. Но этот номер больше не отвечает.

— А что говорит Ирина?

— Да что она говорит? — пожала плечами Нина. — То, что всегда. Иван, дескать, переложил все заботы об отце на ее плечи, а мне больше нечего соваться в их семью. И новый его номер мне не нужен, это лишнее! Она сама позвонит мужу, если будет необходимость. Виктор ничего не может предпринять. Он совершенно бессилен.

— Но ведь у Ивана наверняка есть какие-то старые друзья в Москве? — предположила художница. — Они могут попробовать его найти, хотя бы через социальные сети. Можно даже подать в розыск!

Нина, снисходительно выслушав ее, улыбнулась:

— Теоретически все можно. А на практике сложнее.

Оказалось, что со времени своего отъезда Иван не поддерживал связей со знакомыми и прежними сослуживцами. Нина была убеждена в том, что и в Сети у него контактов нет.

— Он никогда всем этим не интересовался, другого склада человек! Понимаете, пока Иван звонил, все было нормально, мы не беспокоились, что потеряем его, а вот сейчас... Со слов Ирины, он звонит регулярно, только проверить нельзя... Вдруг за него звонит кто-то другой?! Виктор сам не знает, что делать. Сегодня он думает так, завтра иначе. То ему кажется, что все в порядке, то что Ивана давно нет в живых. Родительское сердце покоя никогда не знает.

— Мне все это тоже кажется странным, — призналась Александра. — Иван мог бы прилететь хоть на сутки. Да пусть на несколько часов — просто повидать отца и успокоить его. Даже не обязательно выпадать из графика, если уж контракт такой бесчеловечный.

— Да, да, — кивнула Нина. — Слово в слово я то же говорила Ирине. Она слушать не желает, твердит, что мы ничего не понимаем. В том-то и дело, что она нас ни во что не ставит! Если бы я бросила Виктора, неизвестно, был бы он теперь жив.

— А что это за история с нишей? — поинтересовалась Александра. — Зачем было просить ее привезти, если Виктор Андреевич знает, что ее давно нет?

— Это была его идея, — вздохнула женщина. — Виктор хотел проверить, верны ли его подозрения. Дело в том, что Иван точно знал — ниши давно в помине нет. Если бы Ирина передала ему эту просьбу, он бы это ей объяснил и дело бы кончилось простым отказом. А она, видите ли, где-то откопала похожую нишу... То есть с Иваном она не советовалась, раз ничего не узнала. Это все равно как если бы Виктор попросил ее передать сыну, чтобы тот навестил давно умершего человека. А в ответ услышал бы, что Иван все выполнил и навестил покойника. Значит, очень вероятно, что его нет в живых, как мы и думаем!

— Не обязательно! — возразила Александра. Положив локти на стол, она подалась вперед и понизила голос — их разговор, ставший очень эмоциональным, уже привлек внимание пары за соседним столиком. — Предположим, Иван и Ирина просто решили дать старику напоследок то, что ему так захотелось иметь...

Нина иронично подняла брови:

— Конечно, ради наследства еще и не то сделаешь... Нет, вы уж ее не защищайте. Старик Ирину совсем не волнует.

— Вы все драматизируете, — терпеливо ответила художница. — Неудивительно, уж очень долго нет прямых контактов с Иваном. Как бы уж там ни было, он должен навестить отца, чтобы у того не возникали такие мрачные мысли. Ведь это тупик! Виктор Андреевич будет ненавидеть невестку все больше, напридумывает себе разных ужасов, а при его здоровье... Чем он болен, кстати?

Нина отмахнулась:

— Всем сразу. Ну и как же выйти с ним на связь, с нашим блудным сыном? Ирина ни за что не даст новый телефон. Это ее принципиальная позиция.

— Предположим, я выпрошу у нее номер. Вы позвоните, поговорите, убедитесь во всем сами.

— Бесполезно!

— Посмотрим! — Художница ощущала азарт, сопутствовавший прикосновению к чужой тайне. Без этого чувства она уже не представляла свою жизнь. — Я беру все на себя. Скажите, а вы узнаете Ивана по голосу?

Нина заглянула в пустую чашку, будто хотела прочитать там ответ, и, поморщившись, ответила:

— Конечно узнаю. Он же мой племянник.

— Так вы его родственница?! — изумленно воскликнула художница.

— Сестра покойной матери. А что тут удивительного? — с нарастающей подозрительностью спросила женщина.

Александра, сдержавшись, промолчала. Ей вспомнился рассказ Ирины о том, как сиделка приобрела небывалое влияние на свекра, как пыталась завладеть его имуществом и даже строила планы на получение наследства. «Ведь я спросила, не родственница ли это, и она ответила, что та женщина — совершенно чужой человек. Получается, ложь? Значит, все остальное, может быть, тоже...»

— Вы слушаете? — Раздраженный голос Нины достиг ее сознания не сразу. — Поздно уже, мне пора. Домой уж не успею, переночую у Виктора.

— Да, идемте. — Как во сне, Александра поднялась из-за стола. — В самом деле, поздно...

Она расплатилась за кофе, подойдя к стойке бара, — официантки исчезли, принести счет было некому. Оглянувшись, художница обнаружила, что Нина исчезла. Ушла, не простившись, растворилась в ночи за витринными окнами кафе. Один миг Александре казалось, что она различает за стеклом, на освещенном фонарем тротуаре, коренастую фигуру в бесформенной одежде; но ее тут же стер туман, поднимавшийся от затопленных ливнем бульваров, от сырой блестящей мостовой, покрытой маслянистыми серо-оранжевыми лужами.

* * *

Первое утро, встреченное в окончательно опустевшем особняке, показалось Александре томительно долгим. Она все же взялась за работу, хотя глубокое молчание, наполнившее дом, тяготило ее, вызывая желание куда-нибудь сбежать.

К полудню удалось написать вступление к статье. Александра давно ничего не публиковала, и теперь слова казались непослушными, чужими, словно одеревеневшими. Нащупывая наугад верный тон, словно пианист, севший к инструменту после большого перерыва, берущий первые аккорды отвыкшими пальцами, она припоминала свой прежний творческий запал. «Сколько было амбиций! Надежд! У меня даже хватало энергии с кем-то воевать, кому-то что-то доказывать... Врагов наживала, союзников заводила... А сейчас даже не вижу особого смысла в том, что делаю. Не напишу я, так напишет другой, и лучше напишет, наверняка богаче, красочнее, сильнее. А я останусь на старых позициях — никакой определенности, случайные заработки, и неудач больше, чем успехов... Жизнь проходит, не оставляя заметного следа, совсем не так, как мечталось!»

С крыши рухнула огромная сосулька, давно уже томившаяся в оттепельном, солнечном мареве, залившем переулок, но крепко цеплявшаяся корнем за карниз. От грохота разбившегося на мостовой льда задумавшаяся Александра очнулась. Она вспомнила о разбитой некогда нише, которую заново создал Стас, и протянула руку к телефону.

«Значит, зря я передала заказ Игорю! Зачем ему работать, ниша никому не нужна, ее выдумали ради проверки. Хитро... А Ирина заплатит, и, может быть, дважды. Совсем не факт, что Стас вернет ей деньги!»

«Если он вообще вернется!» — добавила она про себя, обводя взглядом стены своего неказистого жилища. Груды книг, старых холстов, мольбертов, ящики с инструментами и красками, несколько старых шкафов и стеллажей, переполненных необходимыми для работы мелочами... Она так срослась со всем этим за годы, что без мансарды ощущала себя улиткой без панциря. Пусть этот панцирь был хрупок и невзрачен и его можно было легко раздавить, он все же берег и защищал ее жизнь. «Долго ли я продержусь здесь одна?» — спросила она себя и не смогла ответить. Александра привыкла к одинокой жизни, но присутствие соседей очень поддерживало ее морально.

Прежде чем звонить Игорю и отменять заказ, она решила поговорить начистоту с Ириной. «В конце концов, это ей решать, как быть с нишей! Но сказать правду я должна. К чему эта комедия, которая никого не обманет... И в самом деле, куда запропал ее супруг? Действительно ли он решил, что отец забыл о том, что ниша разбита, и его можно обмануть... Или она с ним и не советовалась!?»

Нине удалось заронить ядовитое зерно сомнения, которое уже дало росток. Александра, прислушиваясь к своим смутным мыслям, все больше убеждалась в том, что слепо доверять заказчице не стоило. История была странной. Многое в ней казалось натянутым, Ирина не могла ответить на простые вопросы. «Ее муж должен хорошо зарабатывать! Отчего же нельзя прилететь на несколько часов, на ночь, если уж у него такой график? Что ему, за два года и на сутки нельзя было вырваться? Как в это верить? Отчего Ирина, видя тревогу старика, да еще, с ее слов, заботясь о его здоровье, не устроила простейшую по нынешним временам вещь: общение сына с отцом по скайпу? Вместо этого полная изоляция, требование абсолютного доверия к себе... А отчего же свекор должен ей доверять? Да еще этот ее внезапный приезд... Смена Иваном телефонного номера. Нет ответов...»

Набрав телефон Ирины, она после нескольких гудков услышала усталый голос:

— Слушаю! Что еще случилось? Опять с нишей что-то?

Отметив про себя, что сегодня заказчица совсем нелюбезна, Александра ответила:

— Ничего не случилось, но я хотела кое о чем поговорить.

— Сейчас я занята... Готовлю ему обед.

«Ему» она произнесла очень сухо. Александре случалось наблюдать, как люди до такой степени ненавидели друг друга, что не могли произносить имени своего «объекта чувств». И ей вновь подумалось: впрямь ли Ирина, возненавидевшая свекра за его холодное оскорбительное отношение или с самого начала предубежденная против него, могла испытывать какие-то теплые эмоции по отношению к больному старику?

— И все же нам надо обязательно увидеться и поговорить, — настойчиво произнесла художница. — Сегодня же. Поскорее!

— Значит, что-то все-таки случилось. — В голосе женщины звучали обреченные нотки, как у человека, привычного к неприятностям. — Хорошо. Только не здесь, не на квартире.

Александра вовсе и не собиралась делать свидетелями их разговора непосредственных участников обсуждения. Она поторопилась ответить:

— Я могу подойти к вашему дому, когда вы закончите с обедом, и мы посидим где-нибудь, недолго. Или пройдемся, погода, кажется, чудесная.

— У меня нет времени и желания где-то сидеть и тем более прохаживаться! — Ирина говорила отрывисто, неприязненно. — Скажите прямо, что случилось? Я и так на нервах.

Но Александра настаивала на встрече. Ей казалось, что, видя глаза собеседницы, она обязательно поймет, лжет та или говорит правду. Они договорились увидеться спустя полтора часа. Еще час Александра заставила себя высидеть за работой. Справившись с очередной фразой, она каждый раз смотрела на часы. Время, как ей казалось, шло страшно медленно. Наконец художница поняла, что дольше не выдержит. Загадка волновала ее куда больше, чем написание статьи. Одевшись, она торопливо покинула мастерскую.

Ирину пришлось дожидаться полчаса. Когда та появилась из подъезда, хмурая, встревоженная, художница поняла, что разговор легким не будет.

Застегивая на ходу пальто, молодая женщина подошла к Александре:

— Ну что там у вас? В двух словах?

— Так не получится. Это серьезный разговор, — твердо ответила художница.

На бледном нервном лице заказчицы явно отразилось смятение. Она с недоверием смотрела на Александру, но не решалась больше ни о чем спрашивать. Художница молча пошла в сторону бульвара. Она не оглядывалась, но слышала за спиной шаги Ирины.

Александра не торопилась говорить. Она была далека от мысли хитрить, чтобы выведать истину, но и попасть впросак, задав неуместный вопрос, ей не хотелось. Она чувствовала во всем происходящем тайну, тревожащую и манящую ее все сильнее. Откровенность Нины, грубая и прямая, смутила ее вчера, но объяснила немногое. Тот разговор загадал загадки, не дав ответов.

— Куда мы идем? — раздалось у нее за спиной.

Остановившись, Александра обернулась:

— Зависит от вас. Вы сказали, что у вас нет настроения заходить в кафе, а то бы мы...

— Ничего от меня не зависит! — отмахнулась Ирина. — Давно уже ничего... Сядем здесь, хоть на солнце погреюсь.

Она указывала на бульвар, на свободную скамью, освещенную солнцем. Женщины выждали, когда пройдет тяжело бряцающий трамвай, перешли мостовую и уселись на скамейке. Ирина взглянула прямо в лицо спутнице:

— Честно и прямо, в чем дело?

— Свекор подстроил вам с мужем ловушку, — неожиданно для себя самой произнесла Александра. — Он знает, что ниша давно разбита. Странно было бы, если бы он этого не знал! Ведь он сам ее когда-то разбил!

Ирина слушала, не перебивая. Ее лицо лишь слегка исказила мелкая судорога, и оно вновь застыло.

— Вы старались напрасно! — повторила Александра. Неподвижность Ирины начинала ее тяготить. — Вся эта возня с нишей ни к чему!

— Зачем же он требовал, чтобы ее привезли? — стряхнув оцепенение, проговорила Ирина. Она произнесла эти слова как будто без особенного удивления, по обязанности. — Ведь он так настаивал! Не выжил же он из ума?!

— Быть может, хотел, чтобы Иван задал встречный вопрос: откуда, мол, возьмется разбитая ниша, и тоже забеспокоился о нем? Хотел поговорить наконец с сыном, вступить в диалог? — осторожно предположила Александра. — Ему это уже два года не удавалось...

Молодая женщина резко повернулась к ней, так что Александра невольно отпрянула.

— Послушайте-ка... Вы откуда все это узнали?! Вы что, говорили с ними? Со свекром?! С Ниной?! Когда вы вчера вдруг исчезли, я сразу поняла, что-то тут не так!

— Говорила, вы угадали. С Ниной, — все так же прямо ответила Александра, наблюдая за тем, как вновь искажается лицо собеседницы. — Почему бы и не поговорить?

— О боже... — Ирина прижала ко лбу ладонь. Этот жест показался Александре вопиюще театральным. — Могу себе представить этот разговор...

Некоторое время они молчали. Художница бросила пару осторожных взглядов в сторону притихшей собеседницы и отметила, что та сидит, словно уснув с открытыми глазами, неподвижно уставившись на ничем не примечательный особняк на противоположной стороне бульвара. За спинами женщин вновь прогремел трамвай. Ирина, очнувшись, отрывисто спросила:

— И что же она вам обо мне наговорила?

— Ничего особенного, — сдержанно ответила Александра. — Конечно, она обижена, что вы оттеснили ее от родственника. Ведь она, оказывается, тетя вашего мужа. Вы-то мне сказали, что это посторонняя женщина, сиделка...

— Я знаю, что она в родстве с покойной матерью Ивана, — не смутившись, ответила Ирина. — Но это никакого значения не имеет. Они далекие, чужие люди, она ухаживала за Виктором Андреевичем за деньги, как сиделка. Да еще, на правах родственницы, продавала вещи... Сколько нажила на этом, уже не установить. Иван говорил, у отца была отличная коллекция театральной живописи, эскизы декораций, костюмов к балетам, операм... Все — Серебряный век. И лучшее исчезло, кажется, бесследно.

— Кажется? — уточнила Александра.

— Кто же мне даст проверить? Он даже на мои вопросы не отвечает. О Нине я уж и не говорю.

Она вновь замолчала, а художница обдумывала услышанное. «Нина уверяла, что продала какие-то мелочи, выручила гроши, а тут вон что... Она тоже может врать в таком случае, это очень понятно!»

Александра понимала, что змеиный клубок, где переплелись чужие семейные дрязги, амбиции, материальные интересы, для постороннего взгляда является загадкой неразрешимой. «Разумнее всего свести свою роль в этой истории к простому посредничеству, о чем изначально и просил Стас...» Но она не двинулась с места.

— Того, что Нина продала, не вернешь, денег этих тоже... — после долгой паузы проговорила Ирина, разглядывая носки своих туфель. — Но осталось еще немало. Осталась сама квартира, наконец. Я терплю всю эту каторгу ради того, чтобы тетка не обокрала Ивана подчистую. Остальное не важно.

— Остался еще его отец! — напомнила Александра, шокированная такой неприкрытой прагматичностью. — Ведь он жив!

Ирина, откинув упавшие на грудь длинные темные волосы, недоуменно посмотрела на нее:

— Жив, конечно...

— Так разве, пока ваш свекор жив, он не вправе распорядиться своим имуществом так, как захочет? Подарить кому-то, продать, составить другое завещание?

Художница произнесла эти слова, не раздумывая над тем, какое впечатление они могут произвести на Ирину. Ей просто захотелось слегка одернуть собеседницу, воспринимавшую, по всей видимости, старика, как досадную помеху на пути к наследству.

Эффект от ее замечания был поразительный. Ирина, чье лицо порой казалось не просто бледным, а даже бескровным, внезапно побагровела. Ее губы дрожали так, что она едва смогла выговорить:

— Это она? Она так сказала?

— Нина? — догадалась Александра и покачала головой. — Нет, зачем же. Ни о каком имуществе вашего свекра речи у нас не шло. Просто я озвучила то, что думаю сама.

— А зачем вы вообще во все это вмешиваетесь? — Ирина встала со скамьи и отряхнула пальто гневным, резким жестом. — Каким краем вас это касается? Боитесь, что я деньги вашему мастеру теперь не заплачу? Не переживайте, я не из таких... Получит он свой гонорар! Пусть доделывает эту проклятую нишу, я заплачу! Выкуплю ее и разобью сама, хоть душу отведу! Я всегда оплачиваю счета! Да, уж я-то за все плачу по полной ставке!

— Дело не в гонораре! — Александра тоже встала. Волнуясь, она не могла сразу подобрать нужные слова. — Я просто не понимаю, зачем вы держите старика в такой жесткой изоляции от сына? Ведь он выдумал трюк с нишей только потому, что сходит с ума от тревоги!

— Я никого не держу, — сквозь зубы процедила Ирина. — А он сходит с ума, тут вы правы! Просто банально сходит с ума! Тревога о сыне тут ни при чем! Если бы он тревожился и заботился об Иване, давно бы обеспечил его, да не по завещанию, которое каждую минуту можно изменить, а по дарственной хотя бы!

Ее лицо, все еще залитое густым румянцем, приобрело жестокое выражение. Темно-голубые глаза сузились и казались черными.

— Вы знаете, что свекор постоянно угрожает оформить дарственную на Нину?! — произнесла она, брезгливо кривя губы. — Это отцовская любовь, да? Просто безумие, по-моему! Так относиться к своему единственному ребенку может только...

— Погодите, — остановила ее Александра. — Это все понятно! Пожилой человек нервничает, боится, что ему больше не придется увидеть сына. Поговорить с ним без посредника он не может, потому что не слышит. Но ведь есть другие способы связи! Он сможет видеть сына на экране компьютера, да просто телефона, наконец! И читать по его губам, худо-бедно!

— Вы имеете в виду скайп? — Ирина пожала плечами. — Иван им никогда не пользуется. Он не любитель таких изобретений. А звонит отцу регулярно, я все передаю. Если старик недоволен, это его дело.

Александра вздохнула:

— Старые люди обычно недоверчивы... Тем более, он вас раньше не знал. А почему бы вам разок не передать трубку Нине, раз уж свекор так ей доверяет? Она бы озвучила разговор, узнала голос Ивана и Виктор Андреевич успокоился бы. Ведь он думает, с Иваном что-то случилось... Вплоть до смерти, которую от него скрыли! Вот и вся причина мистификации с нишей.

Ирина покачала головой:

— Его настраивает Нина! Ему самому такая дикость в голову бы не пришла! Все Нина. Я не собираюсь идти на поводу у этой интриганки!

— Один телефонный разговор при ее посредничестве...

— Ни одного слова! — отрезала молодая женщина. — Знаете ли, мне все это надоело! Я два года в разлуке с мужем, потеряла профессию, сломала себе карьеру, терплю выходки старого самодура... И еще должна угождать этой бабе?! Если сделаю одно, она придумает что-то другое! Неужели не понятно, она не успокоится, пока не добьется своего, не получит дарственную на все имущество старика!

Александра молчала. Она видела, что собеседница в бешенстве и уговаривать ее бесполезно. «Или я что-то ляпнула не то... Или вообще зря завела разговор. Нина ведь предупреждала, толку не будет!»

— Это замкнутый круг, — внезапно произнесла Ирина изменившимся, словно сорванным голосом. В ее потускневших глазах блеснули слезы. — Иван наотрез запретил мне потакать этой женщине. Виктор Андреевич, напротив, требует, чтобы с нею считались. Если я слушаюсь мужа, то иду против свекра. И наоборот...

— Один приезд Ивана в Москву, на несколько часов, все может изменить... — решилась ответить Александра.

— Он не может приехать! — с мукой в голосе выговорила Ирина.

— То есть?

Художница не ждала больше объяснений, но молодая женщина, словно решившись на что-то, взяла ее под руку:

— Идемте, я оставила его всего на полчаса. Проводите меня, я все расскажу по дороге.

...Рассказ был незамысловат. Слушая его, Александра удивлялась, как ей самой сразу не пришла в голову такая очевидная версия. Иван, как выяснилось, работал во Франции нелегально, без разрешения, и у него были неприятности с визой.

— Когда Иван въехал во Францию три года назад по туристической визе, он не тамошними красотами отправлялся наслаждаться, а знакомиться с людьми, которые предложили ему контракт, — рассказывала Ирина, медленно идя рядом с Александрой обратно по направлению к Кривоколенному переулку. — Сперва переписывался с ними, познакомил со снимками своих работ, а когда они заинтересовались, потребовалось приехать. Тогда мы и познакомились.

...Ирина пришла на дневную репетицию и уже направлялась к раздевалке, когда ее внимание привлекла русская речь, звучавшая за ее спиной. Голос был мужской, незнакомый.

— У нас работают русские девушки в балете, но мужчин нет, — объяснила она. — Конечно, я заинтересовалась. Он расспрашивал одну из наших танцовщиц, как найти директора. Я подошла, мы разговорились.

...После репетиции она встретила мужчину снова.

Он сидел в зале, держа на коленях портфолио со своими работами, и ждал оформителя. Ирина присела рядом.

— Он спросил, москвичка ли я, выяснилось, что мы земляки. Глупо, но нас это как-то сразу сблизило, хотя какое это может иметь значение в Париже? Так все началось.

...Работы Ивана понравились. Ему предложили остаться на условиях, которые были для него очень привлекательны. Оставалась бюрократическая проблема.

— Оформлять ему настоящую трудовую визу, с разрешением на работу, они отказались, — рассказывала Ирина, медленно шагая по переулку. Дом, где она обитала вместе со свекром, уже виднелся впереди. — Это очень проблематично, требует многих справок, переговоров в посольстве, и могут отказать без объяснения причин. Наконец, начальство просто экономит каждый грош и всячески увиливает от налогов. Проще было оформить, как и многим нашим, годовую мультивизу с максимальным сроком пребывания. Она позволила бы ему въезжать во Францию и оставаться там надолго, до трех месяцев подряд за полугодие. Но каждые три месяца он был обязан выезжать из шенгенской зоны, то есть, например, возвращаться в Россию, пересекать границу.

...Их роман, по словам Ирины, развивался словно по сценарию. Все происходило без бурь и страстей, но оба понимали, что их отношения становятся все более серьезными.

— Через два месяца мы стали мужем и женой. — Остановившись, Ирина пошарила в карманах пальто и достала сигареты. Ее пальцы, когда она закуривала, заметно дрожали. — Поехали на несколько дней в Словению, это было вроде свадебного путешествия... К тому моменту у Ивана все еще было в порядке с визой. Я-то свою визу обновляла, как положено. То есть, выезжала через каждые три месяца по контракту из зоны, работала на Кипре, затем ехала обратно. — Женщина горько улыбнулась: — Судите сами, у меня все складывалось прекрасно, я была востребована, хорошо зарабатывала... И тут на мою голову свалился Иван, со всеми проблемами и неурядицами... Его взяли на три месяца, в сущности, на горячий сезон! Ведь он должен был после уехать, а кого бы он интересовал через три месяца, когда вернется... Кто бы стал его ждать?! Он-то рассчитывал, что покажет себя с отличной стороны и ему оформят рабочую визу, которая позволит жить как человеку, а не как кузнечику. Я тоже на это надеялась.

...По истечении трех месяцев, когда он уже должен был уезжать, Иван так и не получил от театра предложения на постоянную работу. О трудовой визе речь не шла, зато работы по-прежнему было невпроворот. Начальство намеками давало понять, что свои проблемы нужно решать самостоятельно, и вместе с тем хвалило и поощряло Ивана. Нужно было либо оставаться, рассчитывая на лучшее будущее, либо уезжать, и навсегда.

— Иван остался и пропустил срок выезда. Его все уверяли, что можно и нарушить слегка, ничего страшного, рассказывали истории про то, что все так делают... А когда Иван через месяц попытался в аэропорту пройти паспортный контроль, ему просто порвали билет! Пришлось вернуться. Я ахнула, когда увидела его на пороге нашей квартирки.

— Но ведь это было очень давно! — воскликнула Александра. — Два с половиной года назад! Неужели с тех пор ничего не изменилось?!

— Что же могло измениться? — спросила Ирина, кривя губы насмешливо и горько. — Все стало только хуже. И вместе с тем на отсутствие работы Иван пожаловаться не может. Он работает нелегально. У него нет страховки, случись что, лечиться он будет за свой счет. У него могут быть неприятности с иммиграционной полицией. Он давно исчез из всех бумаг, счетов, ведомостей — его как будто совсем нет. Можно все бросить, конечно, уехать в Москву — я уговариваю его не трусить, рискнуть. С его послужным списком он устроится тут во много раз лучше... Можно подумать, мне сладко так жить — врозь с мужем, среди каких-то нелепых подозрений...

— Ирина в сердцах отшвырнула сигарету, зашипевшую в луже у ее ног. — Но Иван сделан из того же теста, что его отец! Как вобьет что в голову, колом оттуда не вышибешь!

— Как же он до сих пор не столкнулся с законом? — недоумевала Александра. — Ведь его давно должны были выслать!

— Представьте, когда работаешь нелегально, нигде не числишься, обладаешь европейской внешностью, получаешь деньги в конверте — попасть на заметку властям довольно трудно. Более того, я вам скажу, никто не стремится его особенно вычислять и высылать. Существуют более острые проблемы.

Художница недоуменно взглянула на собеседницу. Ее мысли были в смятении, но постепенно из этого хаоса выступал скульптурно рельефный, ярко освещенный вопрос.

— Хорошо, — медленно проговорила она. — Иван дорожит своей нынешней работой и не может приехать. Он не пользуется скайпом, и потому отец не может его увидеть. Но он может хотя бы написать отцу письмо? Не по электронной почте — я даже спрашивать не буду, пользуется ли он ею, потому что вашего свекра электронное письмо ни в чем не убедит. Но Иван может просто написать отцу письмо? По старинке, от руки, вложив туда свои фотографии? Что здесь нереального? Старик узнает почерк сына, наверняка у него есть какие-то образцы. И успокоится. Ведь он в невозможно нервном состоянии! — Сделав паузу, но не дождавшись реакции Ирины, смотревшей на нее пристально и напряженно, Александра упавшим голосом добавила: — Я бы в вашей пиковой ситуации так и поступила...

— Ну вот что... — Когда Ирина заговорила, ее застывшее лицо казалось маской. — Я с вами была откровенна, думала, вы поймете. Давать мне советы, как ублажить двоих самодуров, которых никакие аргументы не убеждают, дело почетное, конечно, но пустое. Поэтому давайте больше не будем об этом.

— Мне только казалось, что нужно изменить эту ложную ситуацию, чтобы облегчить последние дни больного человека... — нерешительно ответила Александра. — Наступит время, когда вы пожалеете о своей неуступчивости.

— Я уступала слишком долго! — Высоко вздернув подбородок, Ирина немигающими глазами смотрела на художницу. — И больше я этого делать не намерена!

Отвернувшись, молодая женщина быстро пошла по направлению к своему дому. Александра, не решаясь двинуться, смотрела ей вслед. Ирина шла, как ходят профессиональные танцовщицы, держа спину прямо, уверенно, изящно ставя ноги.

Переулок был залит солнцем, от быстро подсыхающего асфальта поднимался прозрачный дрожащий пар. Фигура удаляющейся женщины казалась в этом мареве еще более легкой, почти призрачной. Не доходя нескольких шагов до двери подъезда, Ирина вдруг остановилась, словно наткнувшись на невидимое препятствие. Через мгновение она медленно, будто с огромным усилием, преодолела оставшееся расстояние. Пискнувшая дверь отворилась и скрыла за собой женщину, а художница все смотрела на серый фасад дома, словно ожидая от камней ответа, которого не пожелала дать их строптивая пленница.

Глава 5

Александра не помнила толком, где располагается мастерская Игоря, и, созвонившись с ним, с удивлением выяснила, что скульптор обитает неподалеку.

— Вроде ты жил где-то в Измайлово? — уточнила она.

— До развода, — небрежно ответил Игорь. — Теперь занимаю квартиру на Сухаревской. Так что, заходи, я как раз над твоим заказом работаю.

Александра, помня обещание клиентки оплатить заказ, ставший теперь бесполезным, не собиралась торопить скульптора. Художнице лишь хотелось посоветоваться с ним относительно одной мысли, пришедшей ей вчера вечером, после разговора с Ниной.

«Ирина, судя по всему, далека от любого искусства, кроме своего собственного. Она танцовщица, а не художник, не искусствовед. Откуда же у нее детальные познания в том, как именно должны располагаться фигуры в такой тематической композиции, как “Бегство в Египет”? Даже я слышала об этом лишь однажды, давным-давно. Забыла напрочь, и вот, она мне напомнила. Стас, профессионал, годами учившийся ремеслу, человек, при всем своем буйстве и бесшабашности, далеко не глупый и не темный, — и тот не придал никакого значения направлению фигур на барельефе! Она же сразу заметила. Танцовщица... И будь это только неверное направление фигур, которое мог заметить любой внимательный человек! Нет, она ведь истолковала композицию, все мне объяснила, как будто для нее эти сведения лежали на поверхности!»

...Игорь занимал большую квартиру на первом этаже, в старинном особняке неподалеку от Сухаревской площади. Еще во дворе, набирая номер квартиры на табло домофона, Александра отметила взглядом ряд чисто вымытых окон, закрытых изнутри плотно сомкнутыми жалюзи. Это напоминало некий офис и представляло разительный контраст с запущенными мастерскими в заброшенном доме на Китай-городе.

— Роскошно живешь! — отметила она, переступая порог квартиры. — Даже не буду спрашивать, сколько стоит аренда!

— Спроси, чего там. — Игорь помог ей снять пальто. — Нисколько не стоит, приятель уступил помещение на три месяца. Сдавать так ненадолго, да еще без мебели, не стал. Когда он вернется, мне придется выметаться. Обычная история после развода...

— Я даже не знала, что ты был женат!

Александра прошла вслед за хозяином в комнату, с любопытством оглядывая обстановку.

Помещение было обширное, в четыре окна, явно переделанное из нескольких комнат, ранее шедших анфиладой. Светлые стены, дубовый паркет — все было чисто и безлико. Мебели мало, и та нелепая, разрозненная — бамбуковая этажерка, составленные друг на друга сундуки, старинный трельяж, на тумбочке которого высилась стопка тарелок. В самом дальнем углу виднелась двуспальная кровать, криво застеленная второпях пестрым лоскутным одеялом. Игорь иронично развел руками:

— Вот так роскошно я устроился... А это все, что осталось хозяину, остальную обстановку забрала его бывшая супруга. Представь, он тоже развелся!

— Эпидемия какая-то! — Александра продолжала оглядывать комнату, ища рабочее место скульптора и не находя его. — Что это с вами, мужчинами, по весне творится... А где ты работаешь? Здесь так чисто!

Игорь рассмеялся:

— Верно, грязищу тут боязно разводить! Да я и инструменты большей частью на прежней квартире оставил. Привожу, по мере надобности. А работаю в кладовке.

Пройдя вслед за скульптором в комнату, которую он называл кладовкой и которая оказалась довольно просторной, хотя и с узким окном, Александра увидела наконец нишу.

Внутренняя, вогнутая стенка, где прежде размещался барельеф, опустела. Видя растерянность гостьи, оторопевшей при виде таких перемен, Игорь поторопился пояснить:

— Я просто спилил барельеф, чтобы не возиться с заливкой новой ниши, — это сутки заняло бы, если не больше. Уж пусть Стас не взыщет! Контррельеф для заливки уже готов. Всю ночь просидел, в глине ковырялся. Будет то же самое шествие, но направленное в противоположную сторону. Сегодня формую фигурки. Завтра обработаю нагрубо, послезавтра вклею в нишу и доведу до ума, потом отлакирую бесцветным лаком. День на сушку, всего четверо суток. Я слово держу! А ты что ты такая скучная?

— Так... — неопределенно ответила Александра. — Странная история со мной приключилась. Дожила, понимаешь, до сорока трех лет, всю жизнь угробила на одно-единственное занятие, а простых вещей не знаю, оказывается! Вот скажи, для тебя была чем-то удивительным подробность, что Святое Семейство во время бегства в Египет движется слева направо, а во время возвращения справа налево? Я еле вспомнила...

— Да и я, собственно, совсем забыл! — легко откликнулся скульптор.

Он смотрел на Александру, потирая ладонью округлую щеку, поросшую русой седоватой щетиной. Женщина вдруг заметила, что у него зеленые глаза. «Надо же, какого редкого оттенка! Голубовато-зеленые, цвета молодой поросли полыни. Сколько лет его знаю, а впервые обратила внимание!» Игорь вопросительно улыбнулся:

— А в чем дело-то? Ну, забыла и забыла. Я не то еще забываю! По мне, так все равно, бегут они в Египет или возвращаются.

— Мне странно, что эту подробность знала женщина, никакого отношения к истории искусства не имеющая, — пояснила Александра, отводя взгляд. — Она с ходу увидела несообразность... А я — нет!

— Может, человек подробно изучал вопрос, — предположил Игорь. — Бывает. Если захотеть, можно в какой-нибудь узкой области такие глубины и высоты открыть, что профессионал закачается. Потому что профессионалу незачем во все это так яростно вникать. Он вникает по мере необходимости, так сказать... А все вместить невозможно, недолго с ума сойти! Хочешь посмотреть матрицу? Я утром залил на пробу, посмотреть, что выйдет.

Не дожидаясь ответа, он склонился над столом, взял форму и перевернул ее вверх дном. Постукивая по днищу деревянного ящика, заключавшего в себе глиняную форму, Игорь выбил на плоскую испачканную подушку гипс, любовно протер поверхность оттиска тряпкой и пригласил женщину полюбоваться:

— Взгляни-ка!

Александра оценила точность отпечатка: перед нею лежала выпуклая форма, плоско срезанная с оборотной стороны. Фигуры процессии, хотя имевшие еще приблизительные очертания, в совершенстве повторяли прежний барельеф, куски которого лежали в коробке рядом со столом.

— Недурно, да? — спросил Игорь, любуясь делом своих рук. — Пожалуй, я с этой отливкой и буду работать. Зачем время тратить? От добра добра не ищут. Хорошо схватилось, и ни одной раковинки нет, ни одного пузырька. Да! Ведь этот шедевр имеет другое, авторское название! Это никакое не «Бегство в Египет», если на то пошло, и тем более не «Возвращение»! Ты знала?

Повернувшись к стене, на которой булавками к обоям были прикреплены три переданные Александрой старые фотографии ниши, скульптор снял одну и протянул гостье обратной стороной вверх:

— Вот, прошу.

И Александра прочла два слова, заключенные в кавычки: «Алтарь тристана». Надпись была сделана синей шариковой ручкой, наискось, словно второпях, имя «Тристан» написано со строчной буквы. Даты не значилось.

— Странно, — повернув фотографию лицом, она всмотрелась в изображение. — Почему «Алтарь Тристана»? Ведь это, несомненно, «Бегство в Египет»?

— Кто же знает! — качнул головой Игорь. — Надо у автора спрашивать. Кстати, кто изготовил оригинал?

— Театральный художник, декоратор. Она давно умерла.

— Вот как, — скульптор сощурился, глядя на лежавшие на столе гипсовые заготовки. — В таком случае это наверняка название спектакля, для которого делалась ниша. Знаешь, когда готовишь серию работ к одному проекту, то и маркируешь их одинаково.

— Она делала нишу для себя, а не для театра, — возразила Александра. — Кстати, а вот ты делаешь ее уже совсем неизвестно для кого... Надобность отпала, но, к счастью, заказчица не отказывается платить. Так что особенно не надрывайся. Дело неспешное.

— Дамочка передумала? — Игорь озадаченно потер тыльной стороной руки заросшую щеку. — Да мне-то все едино. Сделаю, как обещал, в срок, тянуть нечего, другие заказы есть. Саша, а как ты смотришь на то, чтобы поужинать вместе?

Александра не удержалась от улыбки — ее насмешил внезапно изменившийся тон собеседника, деланно беспечный, призванный скрыть неуверенность.

— Когда ты говоришь «поужинать», то имеешь в виду ужин? — уточнила она. — Я согласна, конечно! Давно не ела по-человечески. Все перекусываю на бегу.

— Ну, разумеется, ужин! — с явным облегчением воскликнул Игорь. — И потом, сто лет тебя не видел, хочется поболтать... Знаешь, ты всегда меня очень интересовала, но не находилось времени пообщаться!

— Кто бы мог подумать, что я еще кого-то интересую, да притом очень! — Теперь Александра засмеялась в голос. — Сижу вот на своем чердаке, среди паутины и мышей, всеми забытая, и ничего-то не знаю...

Игорь, видя ее веселое расположение духа, ободрился еще больше:

— Так к черту этот алтарь, сегодня отдыхаю, тем более дело не срочное! Присядь, я быстро переоденусь, и пойдем.

Дожидаясь его возвращения, Александра посерьезнела. Она шутила через силу. В другое время ее, возможно, больше бы заняло неожиданное приглашение на ужин. Ничего загадочного в поведении Игоря для нее не было: Александра понимала, что он пытается начать ухаживания, но боится получить отпор. И так же ясно ей было собственное настроение: вдохновлять скульптора на серьезные подвиги она не собиралась. Художница даже не могла всерьез задуматься о возможном романе — ее мысли были заняты совсем иным.

«Почему “Алтарь Тристана”? — твердила про себя Александра. — Тристан — это герой средневекового рыцарского романа, помню, когда-то читала. Он не имеет ничего общего с библейским эпизодом бегства Святого Семейства в Египет, или... Или я и тут окажусь некомпетентной?!»

Александра уже не доверяла своим знаниям, настолько ее удивила и задела неожиданная осведомленность заказчицы в таком вопросе, в котором следовало бы разбираться как раз художнику или эксперту в области живописи и антиквариата.

«Вот и Стас не задумался, так ли важно направление фигур! Стас, опытный мастер. Игорь говорит, что знал эту подробность, но забыл. То есть для него совершенно неважно, как он сам сказал, куда двигаются фигуры! Может, я потому и не могу так легко все это бросить, что не нахожу ответа на вопрос: как могла это навскидку определить Ирина? Такое впечатление, что она осведомлена о нише куда больше, чем рассказывала. Взять снимки из семейного альбома, передать их скульптору... Тут неоткуда взяться таким детальным познаниям. А еще этот “Алтарь Тристана”. Неуместное название, но значится на этом снимке, стало быть, связь есть... Должна быть. Это ведь и есть домашний маленький алтарь. Но не Тристана, не средневекового рыцаря, погибшего из-за роковой любви, ни в коей мере! Ни Тристана, ни его возлюбленной Изольды тут нет, только Иосиф и Мария на ослике...»

Они сидели в кафе, одном из тех, где посетители словно выставлены напоказ в огромных стеклянных витринах. Как живые куклы, втиснутые за маленькие столики, придвинутые почти к самому стеклу, люди ели, пили, болтали на виду у всей оживленной улицы, под взглядами прохожих. Игорь был явно разочарован тем, что его спутница сделала такой скромный заказ — салат, бифштекс и бокал вина. Он пытался соблазнить ее другими блюдами из меню, но Александра с улыбкой отказалась:

— Не стоит меня сразу баловать, в другой раз закажу больше!

— Ну, буду надеяться на другой раз, — смирился мужчина, отдавая меню официанту. — У тебя такой вид, словно ты совсем ничего не ешь. Тень-тенью!

— Все логично! — кивнула женщина. — Я ведь обитаю в заброшенном доме, так что должна быть похожа на тень!

— Так и живешь на том чердаке? — сочувственно поморщился Игорь. — Это же самая худшая мастерская во всем вашем доме! Неужели нельзя было ее поменять?

— А зачем? — пожала плечами Александра. — Пол пока не провалился, стены есть, крыша почти цела. Да и привыкла я там, ко всему ведь можно привыкнуть. И потом, ты ведь не бывал у меня, а ужасаешься!

Игорь и впрямь никогда не переступал порога ее мастерской. Женщина встречала скульптора несколько раз у Стаса, но причин приглашать его к себе у нее не было, да и сам он ни разу не изъявил желания зайти в гости. Интерес, который внезапно проявил к ней Игорь, удивлял художницу. «Весна? — не без иронии спрашивала она себя, отрывая взгляд от тарелки и украдкой поглядывая на сотрапезника. — Или развод на него подействовал?»

Скульптор, разделавшись с заказанным куском мяса, долил в свой опустевший бокал вино, закурил и, блаженно щурясь, откинулся на высокую резную спинку стула.

— Ты отличный собеседник! Так загадочно молчишь, что говорить даже как-то неудобно!

— «Молчаливая женщина неуязвима», так было написано в дореволюционной рекламе рисовой пудры, — подхватила шутку Александра. — Я вообще не болтлива. Может, потому у меня до сих пор есть работа. Хотя по нынешним временам техническая отсталость может выбросить из профессии, а уж на что я отсталая... Интернет вот только начала осваивать, виртуальных сделок не заключаю, в дистанционных аукционах участия не принимаю... Веду дела по старинке, все при личной встрече, с глазу на глаз...

— Многие до сих пор держатся старинного метода, — заметил Игорь, которого ужин привел в благостное состояние духа. — Виртуальные сделки часто бывают сомнительны. Сама понимаешь, нарваться на подделку в наше время проще простого. Чем верить снимкам и описаниям на виртуальных аукционах, конечно, лучше оценить вещь своими глазами, без ретуши...

Александра радостно подняла бокал:

— О чем и я всегда твержу клиентам! Вещь надо лично осмотреть перед покупкой... И даже осязать, понюхать и попробовать на вкус, если потребуется! Иногда можно подделать все, кроме, скажем, характерного запаха старого холста, масляного слоя... И даже запаха старинного серебра!

Они чокнулись. Слушая тонкий стеклянный звон, на миг повисший в воздухе, Александра спросила себя, как давно она была в кафе с мужчиной, который, совершенно очевидно, к ней неравнодушен? «Давно, очень давно... И странно, я совсем не соскучилась по этому переживанию. Скорее, наоборот, оно мне кажется чуждым, искусственным... Как будто меня вдруг попросили заменить в спектакле известную актрису, а я играть-то не умею, роли не знаю и всячески не соответствую партнеру... А ведь партнер вовсе не плох! И на данный момент, кажется, свободен...»

Александра никогда не считала себя красавицей, хотя и комплексами по поводу своей внешности не страдала. Но все немногочисленные романтические переживания остались в прошлом. Вспоминала она их с горечью. Не было ни одной истории, которая окончилась бы благополучно, если понимать благополучие в общепринятом смысле. «Мама считает, что я всегда неверно выбирала человека, неверно себя вела, и вот оказалась одна в сорок три года, без детей, без иллюзий, без перспектив... Я-то сама думаю иначе... Каждый раз это был опыт, лично мой, дорогой для меня, ни для кого другого. Но мне он был нужен, этот опыт, и я ничего не хочу отменять и забывать. Я хочу остаться собой, со всеми своими ошибками... Жить жизнью, которая многим кажется невозможной, непонятной; зато своей, только своей!»

От раздумий ее оторвал голос Игоря. Он с нажимом повторил:

— Так ты идешь или остаешься?

— Как? — очнулась женщина. — Ты уходишь?

— Да. — Игорь взглянул на часы, досадливо кривя рот. — Представь, забыл, совершенно из головы вон! У меня ведь назначена встреча с заказчиком, надо показать один эскиз. Таскаю его с собой неделю, а сегодня как раз четверг, он будет на месте. Идешь со мной?

— Зачем? — недоуменно взглянула на него Александра. — Я уж лучше о своих заказчиках позабочусь, есть работа несделанная...

— Я подумал, тебе будет любопытно, — пояснил Игорь. — Работа для церкви, для католического храма. Помнишь, мы после новогодних праздников столкнулись и ты мне рассказывала, что искала реликвию какой-то правнучки Людовика Святого?[3] Так вот, в церкви его статуя есть!

— Занятно. — Александра тоже взглянула на часы. Время близилось к шести вечера. — Не поздновато ли в церковь?

— Напротив! — оживился Игорь. — Через полчаса начнется вечерняя месса. Здесь рядом, десять минут ходу переулками, как раз успеем!

Свернув на Мясницкую, он взял Александру под руку: женщина отставала, спутник был намного выше ее ростом и шагал широко. Подстраиваясь под ее походку, он объяснял на ходу, наклонясь к художнице:

— Это церковь Святого Людовика Французского... Заказ не для нее, конечно. Я проектирую малую алтарную нишу для другой церкви, в Германии... Мне заказали, потому что я уже работал в этой области.

— К католикам решил переметнуться? — шутливо поинтересовалась Александра.

— Да я атеист вообще. — Игорь едва не приподнял ее над землей, рывком помогая преодолеть лужу. — Мне религия не интересна. Мне интересны заказы.

— Здравая позиция! — Александра продолжала улыбаться, но теперь говорила серьезно: — Мне всегда недоставало такого отношения к делу. Я ув-

---

[3] Читайте роман А. Малышевой «Трюфельный пес королевы Джованны».

лекаюсь... Захожу слишком далеко, в такие дебри, где нечего ждать заработка... А каких только неприятностей у меня не было за то время, пока я занимаюсь антиквариатом! Меня стало преследовать странное ощущение... Даже неудобно о нем говорить, но, знаешь...

Внезапно она остановилась, и спутник удивленно повернулся к ней, удерживая за руку:

— Что такое? Нам вот сюда, в эту подворотню...

— Погоди минуту... — проговорила она, переводя дух. — Знаешь, у меня появилась почти твердая уверенность, что мне вовсе не стоит заниматься своим нынешним ремеслом. Я продаю молитвенник времен Марии Стюарт — и убивают моего старого знакомого. Беру на реставрацию две картины — и лишаюсь лучшего друга. Ищу старинное серебро — и хороню подругу... Мне становится страшно, понимаешь? Руки опускаются. Не хочется никуда ввязываться.

— Что за фантазии?! — изумленно воскликнул Игорь. — Ты же не первый год своим делом занимаешься, должна помнить, что старинные вещи всегда что-то дурное притягивают! И смерть, и воровство, и черт его знает что еще! Твое дело маленькое — перепродать, выручить свой процент и забыть!

— У меня очень плохо получается забывать, — печально ответила Александра.

Она огляделась и с ироничной улыбкой указала на вывеску антикварного магазина, оказавшуюся прямо у нее над головой:

— Полюбуйся, все это меня прямо преследует! Мне иногда кажется, не я выбираю вещи, а они — меня...

— От судьбы не уйдешь. — Игорь нетерпеливо взял ее под локоть. — Мы опоздаем, идем!

Они свернули в подворотню сразу за антикварным магазином, пересекли несколько тесных сообщающихся дворов, где вывесок было больше, чем прохожих, и оказались в Милютинском переулке. Тесный проход между красной кирпичной стеной французского лицея и торцом церкви, выкрашенной в бледно-желтый цвет, стал еще уже из-за черных спекшихся глыб снега, медленно истекавших талой водой. К вечеру начинало холодать, и ручейки мельчали, постепенно замирая. Войдя в церковный двор, Игорь торопливо потянул женщину за собой, на ступени, ведущие к площадке под классическим портиком храма:

— Идем же, месса уже начинается!

— Странно, я никогда здесь не бывала! А ведь живу рядом столько лет...

Александра с удивлением оглядывала двор, обнажившиеся рыжие газоны с примятой мертвой травой, безлистное старое дерево, любопытно приникшее к решетчатой ограде, словно следящее за Малой Лубянкой, раскидистую голубую ель, в чьей тени прятались скамейки. Она бывала в Милютинском переулке и раньше, но каждый раз проходила мимо этого желтого здания, едва отмечая его взглядом. Ей никогда не приходило в голову остановиться, задаться вопросом, что здесь находится, войти во двор.

«В католических храмах Европы, знаменитых, не очень и вовсе безвестных, в деревенских церквях я бывала... А вот сюда заглянуть не удосужилась!»

Они вошли в храм через боковую дверь, центральный вход был заперт. Миновали тесный тамбур и оказались в зале. Игорь подошел к мраморной чаше, установленной за колонной, и, опустив в нее кончики пальцев, перекрестился. Александра наблюдала за ним с растущим удивлением. «Атеист? Однако!..»

Месса уже началась. Они сели на последнюю скамью в левом ряду. Отсюда Александра могла беспрепятственно рассмотреть весь храм.

Он оказался скромным и одновременно нарядным, залитым предвечерним, золотистым светом. Еще при входе Александра отметила одно старинное витражное окно с изображением Святого Иосифа. Остальные окна были застеклены обычным образом и забраны снаружи решетками. Три окна в алтарной части, полукруглым нефом выступающей в сторону переулка, украшали новодельные незатейливые витражи с узором из цветных ромбиков.

Такую же наивную и дешевую современную попытку восполнить утраченные подлинные витражи Александра видела как-то в одной итальянской провинциальной церкви, в городке, где гостила у друзей. Она вспомнила свой разговор с тамошним священником, случайный, короткий, оставивший у нее необычное впечатление.

Чистенький, седой, как лунь, старичок, щуплый и словно сонный, с вялой готовностью ответил на те несколько вопросов, которые она задала ему. Александра искала одну семью, некогда проживавшую в этом приходе; в мэрии нужной справки не дали, взамен посоветовали осведомиться в церкви. Удовлетворив ее любопытство, священник внезапно спросил:

— А вы часто ходите в церковь? Там, дома, в Москве?

Она ответила отрицательно. Ее удивил странный тон вопроса: очень серьезный и одновременно натянуто ироничный. Священник словно пытался шутить над тем, что вовсе его не смешило. Помолчав, он проговорил:

— Если бы я мог попросить Господа о чем-то и был уверен, что моя просьба будет исполнена, знаете, что бы я попросил? Устроить новый всемирный потоп! Да, знаете... Новый всемирный потоп!

Его круглые очки в дешевой пластиковой оправе сверкнули слепым отблеском света, проникшего сквозь цветные ромбики в оконном переплете. В открытые настежь двери церкви было видно, как на паперти, в лучах вечернего солнца, резвятся котята. Кошка, их мать, зорко наблюдала за потомством, лежа в ветхом лукошке у входа в церковь. На паперти показалась девочка; остановившись на пороге, она ждала, когда священник закончит разговор с незнакомкой. На границе яркого закатного света и церковной полутени ее черные гладкие волосы выглядели золотыми, платье же, голубое, напротив, показалось ослепленной Александре темным. Она поняла свою ошибку, разминувшись с девочкой на выходе...

...Очнувшись, художница обнаружила, что все немногочисленные посетители храма поднялись со скамеек, и последовала их примеру. Ее слуха достиг негромкий голос священника, стоявшего у амвона, в алтарной части:

— ...Исповедую перед Богом Всемогущим и перед вами, братья и сестры, что я много согрешил мыслью... Словом... И неисполнением долга...

Десяток голосов глухим эхом сопровождали каждое слово, ладони мерно ударялись в грудь, повторяя жесты священника:

— Моя вина... Моя вина... Моя великая вина...

Немо шевеля губами и повторяя покаянный жест, она взглянула на стоявшего рядом Игоря. Его лицо показалось ей преувеличенно серьезным, и женщина внезапно почувствовала к нему неприязнь.

Священник отошел к стене и опустился в полукресло, обитое красным плюшем. К амвону, поклонившись, подошел министрант и начал читать из Евангелия. Александра, склонившись к Игорю, шепнула:

— Такой-то ты, стало быть, атеист?

Он скривил губы и ничего не ответил, поймать его взгляд Александре не удалось. Озадаченная и заинтригованная, женщина отвернулась. В порядок службы она не вникала, автоматически, без раздумий, повторяя все за верующими, которых всего было, как сосчитала Александра, одиннадцать человек, не включая ее с Игорем. Когда все хором отвечали: «Благодарение Богу», она успевала повторить последние слоги, когда вставали, садились или по звонку колокольчика опускались на колени, на скрипящие деревянные подставки, тянущиеся вдоль рядов скамеек, она следовала примеру немногочисленной паствы.

Ее, как и всегда при посещении храмов, занимало убранство. Справа от главного алтаря, в боковом нефе, был устроен алтарь, посвященный Деве Марии. Богоматерь в белых одеждах с голубым поясом была окружена цветами — в горшках и срезанными в вазах. Слева от нее, на отдельном постаменте, высился Христос в красной мантии. Под ним, в главной алтарной части, у открытой двери, ведущей в ризницу, сидел второй министрант. Он то и дело поглядывал туда, где расположились Игорь с Александрой. «Его занимает новое лицо, — предположила женщина. — Прихожан немного... Хотя и день-то будний!»

Алтарь в левом нефе она со своего места видела не целиком, но и тех святых, чьи статуи там высились, не могла узнать. Впрочем, Антония Падуанского, держащего младенца на открытой книге, она опознала по францисканской рясе и тонзуре — статуя этого святого часто встречалась ей в храмах Европы. Но остальные фигуры остались для нее загадкой, кроме одной...

В центре алтаря находилась статуя мужчины в короне, с гладким безбородым лицом и экстатическим взглядом расширенных глаз. В правой руке он держал скипетр, в левой пурпурную подушечку с уложенным на нее терновым венцом. На нем были царские одежды раннего готического образца, еще хранящие все черты отмирающей романской моды — длинная нижняя туника, в пол, чернильно-синяя, затканная золотом; поверх нее другая туника, чуть ниже колен, темно-розовая, также с золотой каймой и украшениями. Плечи статуи обвивал ярко-голубой плащ, затканный золотыми лилиями и подбитый горностаем.

Александра не сводила взгляда с этой фигуры, уже не замечая окружающих статуй, первоначально привлекших ее внимание. Игорь, наклонившись, шепнул:

— Да, это твой Святой Людовик. Слева от него, в белой рясе, — Бернар Клервосский, справа — Франциск Сальский. После мессы сможешь рассмотреть поближе.

К причастию он не пошел, но все время, пока немногочисленные прихожане причащались, простоял на коленях, сцепив руки в замок и опустив голову. Александра сидела на скамейке. Ее все больше изумляла эта показная набожность, проявляемая спутником, который только что признался ей в своем атеизме. «Заказ — дело важное, — думала она, косясь на его коленопреклоненную фигуру. — Но, выслуживаясь перед заказчиком, тоже надо меру знать, а то получится перебор... Еще и пополам с кощунством. Кого-то из нас двоих он обманывает, и может быть, даже не заказчика, а меня. Но зачем было врать, что атеист? Вот стоит же на коленях... Молится!»

— Идите с миром, месса совершилась! — донеслось от алтаря.

— Благодарение Богу! — хором выдохнули прихожане.

Священник с министрантами скрылся в ризнице, однако паства не торопилась расходиться. Почти все остались в церкви, лишь переместились в придел Девы Марии.

— Похоже, все на исповедь, — пробормотал Игорь.

— А кого из них ты ждешь? — поинтересовалась художница. — Или тебе нужен священник?

— Нет, заказчик — мирянин, приезжий, он хочет пожертвовать своей церкви алтарную нишу. Это ему обойдется в копеечку, конечно, и проект, и работа, и материал... Ну что ж, человек он, кажется, не бедный! Сегодня должен был сюда прийти, я знаю, он всегда ходит по четвергам! Но пока что-то не видно...

Он поднялся со скамьи и осмотрелся.

— Нет, пока нет... Подождем немного... Может, опоздал, к исповеди придет.

Александра тоже встала. Ей хотелось рассмотреть статую Людовика Святого поближе. Подойдя к левому алтарю, она обвела взглядом серый мрамор, украшенный резьбой, статуи святых, населявшие неф. В этом светлом храме, бело-бежевом, нарядно раззолоченном, даже массивные колонны смотрели по-домашнему уютно, словно говоря: «Мы всех здесь знаем наперечет, здесь только свои!» Статуи тоже выглядели нарядно — даже устрашающая, изможденная худоба Бернара Клервосского казалась умиротворенной, словно примиренной с тишиной этой маленькой церкви. На мраморном алтаре стояли две статуи поменьше; в одной Александра узнала Жанну Д'Арк, насчет другой, девушки в розовой тунике и белом покрывале, с прижатыми к груди розами, усомнилась.

Но главным все же оставался Святой Людовик, в честь которого и была освящена когда-то церковь. «Он затеял седьмой крестовый поход, который окончился неудачей, и восьмой, в котором погиб... — припоминала Александра, не сводя взгляда с лица святого, казавшегося загримированным. Взгляд его расширенных глаз был устремлен поверх скамей, к боковому выходу из храма, словно преследовал невидимую другим цель. — Не в сражении, просто умер в Карфагене, в войске началась эпидемия... А пару десятков лет спустя он уже был канонизирован...»

— Это Людовик Святой, — произнес рядом низкий, слегка задыхающийся голос.

Обернувшись, Александра увидела незаметно подошедшую к алтарю женщину. Худая блондинка в очках, лет пятидесяти, смотрела на нее с тем же нескрываемым любопытством, которое художница уже успела прочесть во взгляде юноши-министранта.

— Я знаю! — приветливо ответила Александра. — Недавно пришлось кое-что о нем читать. Собственно, даже и не о нем, а о его внучке.

— А вы не нашего прихода? — осведомилась женщина. — Я вас что-то не помню.

— Я вообще не принадлежу к католической церкви, — призналась Александра. — Зашла посмотреть.

— Милости просим! — Женщина, удовлетворив свое любопытство, не уходила, а продолжала вопросительно смотреть на художницу, словно ожидая продолжения.

Почувствовав неловкость, Александра проговорила:

— Я много ездила по Европе, мне доводилось видеть церкви в честь Святого Людовика. Должна сказать, что у вас очень уютно... Все очень по-домашнему! Особенно мне нравится этот алтарь.

Она взглянула на букеты, стоявшие в ряд у серого мраморного подножия алтаря. Выбор цветов был необычен. Лиловые ирисы с желтыми прожилками тревожно выставляли остроклювые головы из пены махровых белых роз с фиалковой оборкой по краю лепестков. Тускло-зеленые, кожистые листья эвкалипта вносили дурманящую ноту в розово-сиреневое, услащенно-горько пахнущее гнездо первоцветов. Особенно привлек внимание Александры букет, стоявший чуть в стороне, в вазочке, инкрустированной осколками зеркал, — индийском сувенире, как она тут же определила на глаз. Среди блестящих зеленых листьев лучистыми звездами сияли лилии; их белизна звонко пела на фоне мрачных, почти угрожающих тонов темно-фиолетовых гвоздик.

Женщина в очках заметила направление ее взгляда и с прежней приветливой услужливостью пояснила:

— Цветы остались от Пасхи, новокрещенные подарили. Жаль, такая красота простоит недолго...

А вы, быть может, в группу катехизации пришли записываться? Так после Пасхи записи уже нет!

— Катехизации? — удивленно переспросила Александра. — Вовсе нет. Почему вы решили?

— Я просто вижу, что вы пришли с Игорем, а он посещает группу. — Улыбка блондинки стала чуть натянутой, она будто жалела, что сказала лишнее.

— Нет... — Александру уже не столько возмущало, сколько забавляло поведение скульптора, который пытался уверить ее в своем атеизме и вместе с тем готовился принять крещение. — Мы просто знакомые, по работе. Случайно встретились, он сказал, что идет в храм, а я захотела посмотреть статую Людовика Французского.

— Поняла...

Голос женщины был едва слышен, она отвечала, отвернувшись, глядя на исповедальню, освещенную изнутри слабой лампочкой. Внутри виднелась белая фигура священника, склонившегося к решетке. На скамейках почти никого не осталось, немногочисленная очередь быстро таяла. Александра с первого взгляда не увидела Игоря и решила было, что он втихомолку удалился, не желая объяснять ей историю своего воцерковления. «Мне бы тоже на его месте было неудобно!» — подумала она, но тут же увидела скульптора. Он стоял в дальнем конце зала, спиной к ней, и беседовал с высоким худым мужчиной в светлой куртке. Очевидно, это и был заказчик. Александра догадалась об этом по выжидательной и почтительной позе скульптора: Игорь вытянулся в струнку, ловя каждое слово, которое негромко произносил его собеседник. «Заказ серьезный, ему хочется угодить... Все понятно, дело житейское. Но зачем же так лебезить? Я была о нем лучшего мнения...»

— Моя очередь подошла, на исповедь, — спохватилась блондинка. — Заходите к нам, месса каждый день вечером, в шесть тридцать, а сумма по воскресеньям в полдень. Вы правы, у нас тут все по-домашнему... Вы это сразу почувствовали?

Александра не успела ответить, женщина заторопилась к исповедальне, как раз в этот момент освободившейся. Художница еще раз взглянула на алтарь, на статуи, на цветы и медленно пошла к выходу. Обогнув последний ряд скамеек за колоннами, она приблизилась к разговаривавшим мужчинам.

Они ее не видели из-за массивного ствола колонны. Остановившись перед витражом со Святым Иосифом, в полутени, Александра слышала их разговор, оставаясь незамеченной. Заказчик говорил с акцентом, довольно явным, хотя речь его была свободна и правильна, как у человека, владеющего языком с детства.

— Нет, — проговорил он, — я же сказал, нет!

Его голос, приглушенный из почтения к близкой исповедальне, звучал раздраженно, как будто он был вынужден втолковывать собеседнику одно и то же.

— Это совсем не то, что нужно!

— Но ведь я спроектировал алтарь, один в один, как вы хотели, — смиренно отвечал Игорь. — Учел все ваши пожелания. Укажите, что не так?

— Это должен быть алтарь печали... Алтарь поминовения, понимаете? Я не художник и не могу как следует объяснить, но такие вещи совсем по-другому выглядят... Я видел эти алтари печали на Сицилии... Их обычно размещают в домах или в церкви, поодаль от главного алтаря. Они совсем не такие, как у вас!

— Тогда мне нужно познакомиться с ними, — отвечал скульптор. — Это не займет много времени! День-два! Я покажу вам новый эскиз, хоть в воскресенье!

— Не знаю, буду ли я в Москве, — после паузы ответил мужчина. — Может быть, уеду... И вообще, я уже не уверен, что вам стоит стараться. Вы совсем не понимаете, что мне нужно!

— Вот теперь, когда вы уточнили, я все понял! — с нажимом убеждал его Игорь. — Я сегодня же переделаю... Не сомневайтесь, теперь я все уловил!

Из исповедальни появилась блондинка в очках.

Ее лицо было пунцовым, даже на расстоянии Александра слышала ее тяжелое дыхание. Торопливо направившись к выходу, она преклонила колено в центральном проходе и прошла в шаге от Александры, не заметив ее. Художница взглянула в сторону исповедальни. Священник тоже покинул ее — преклонив колено перед статуей Девы Марии, он скрылся в ризнице.

Тем временем Игорь, сопровождая заказчика, шел к выходу, тихо твердя:

— Можете не сомневаться... Дайте мне еще один шанс... Уверяю вас, теперь все будет сделано как нужно!

— Хорошо, — явно колеблясь, ответил ему заказчик. — Если я буду в Москве в воскресенье, приду на мессу.

Теперь Александра рассмотрела его — худое лицо с высоким полысевшим лбом и впалыми щеками, седые виски, глаза, почти прикрытые устало опущенными веками. У него был беспокойный и измотанный вид человека, мучимого сомнениями, которые он не решается высказать. Мужчина скользнул по Александре пустым, невидящим взглядом. Ей вдруг показалось, что он спит наяву и говорит во сне.

Игорь вышел с заказчиком, продолжая что-то тихо ему втолковывать. Александра задержалась в церкви еще несколько минут. Высокий сутулый мужчина погасил один из двух больших бронзовых светильников, освещавших алтарь, и церковь наполнили мягкие сумерки, придавшие ей еще более домашнее настроение. За окнами дотлевал день, быстро темнеющий, стиснутый окружающими домами, — все они были выше маленькой церкви, словно взятой в каменный плен. «Какое освещение! — подумала женщина, глядя, как меркнут синие складки покрывала Святого Иосифа на витраже. — Желтоватое, мутное... Как будто собирается гроза...»

Из ризницы показался священник, уже переодевшийся в светскую одежду. Альбу, надетую на время литургии, сменили черный костюм и куртка. О сане говорила лишь белая полоска колоратки, охватывающая шею. Издали он казался смуглым худым юношей, почти подростком, но когда священник поравнялся с нею, художница поняла, что они ровесники. Он неожиданно улыбнулся ей, и эта белозубая улыбка, в которой было что-то детски непосредственное, сверкнула в остывающем сумраке, согрев ее, будто дружеский привет. Александра, вздрогнув, улыбнулась в ответ и, помедлив, тоже пошла к выходу из церкви. В дверях она обернулась и взглянула на статую Святого Людовика.

«Алтарь Тристана... — повторила про себя художница. — Почему алтарь Тристана?»

Глава 6

Игорь стоял во дворе один, заказчик исчез. Уже по тому, какими нервными движениями мужчина пытался извлечь из смятой пачки сигарету, Александра поняла, как тот взволнован.

— Ненавижу такие фокусы! — пробормотал он, вытащив наконец сигарету и раскурив ее. — Толком не знает, чего хочет... Начал ломаться! А я работай, переделывай без конца!

— Откажись, — равнодушно предложила Александра. Ее саму никогда особенно не интересовали заработки, она была довольна, когда хватало на жизнь и удовлетворение самых скромных нужд. — Стоит ли унижаться?

— Да понимаешь, заказчик действительно редкий... И заказ особый! — Игорь сбавил тон, вопросительно заглянув ей в глаза. — Я последнее время все бытовой мелочовкой перебиваюсь, надоело, творческой работы совсем нет. Ну, бюст, ну, панно куда-нибудь в банк или особняк, ну, памятник... Опустился даже до этого! А что делать? Работу рвут из рук... Дешевле сделать за рубежом, в том же Китае заказать. К счастью, еще не все об этом знают.

— Брось жаловаться, — усмехнулась Александра, — все великие мастера изготовляли надгробия и не считали это для себя унижением! Что за манера, валить все на мелкотемье? Микеланджело создал гробницу Медичи. Что тебе мешает тоже изваять нечто титаническое, с гуманистическим подтекстом...

— А, да брось ты... — досадливо отмахнулся Игорь. — Наши Медичи те еще Медичи...

— Микеланджелы им вполне под стать, — заметила Александра. — Что же ты будешь делать?

— Вникать в предмет! — с отчаянием проговорил скульптор. — Есть у меня на это время, как же!

На ступенях под портиком появился мужчина, гасивший в храме свет. Он запер дверь, выразительно поглядывая на двух последних людей во дворе. Игорь взял Александру под руку и повел ее к воротам, продолжая расстроенно повторять:

— Хуже нет нарваться на капризного типа, но ничего не поделаешь... Такие лучше всех платят, в конце концов! Понять бы, что ему нужно!

— Я могу тебе помочь... — проронила Александра.

Подняв голову, она вглядывалась в низко нависшее, затянутое лиловыми тучами небо. Далеко, над Сухаревской площадью, еще виднелась золотистая промоина, где дотлевал вечерний свет. Все остальное было уже погружено в грозовой розоватый полумрак.

— Надо бы поторопиться, — сказала она. — Боюсь, сейчас хлынет... Первая гроза в году, это всегда серьезно! Да еще такая ранняя!

— Как ты мне поможешь? — недоверчиво спросил скульптор.

— Ну, у меня же огромные залежи материалов, по каким угодно темам... В том числе по редким... Если посвящу вечерок проблеме, глядишь, откопаю что-то про эти самые сицилийские алтари, которые так милы твоему заказчику.

— Не знаю, как и благодарить тебя! — с пафосом воскликнул скульптор. — Согласись, делать наугад, это время терять... Я провожу тебя, может, найдешь какие-то картинки еще сегодня?

— Если повезет, — кивнула Александра. — А кто он, кстати, этот человек? Иностранец?

— Немец, из Германии. Но бывший наш соотечественник. — Не выпуская ее руки, Игорь пошел рядом, вверх по Милютинскому переулку, к Мясницкой. — Он здесь кого-то потерял... Родственника, судя по его речам. Кажется, тот имел некое отношение к церкви, я не очень понял с его слов, а расспрашивать как следует не решился. Да ты видела его? Он странноватый. Но очень, очень набожный! Мы тут встретились случайно, в церкви, он молился, а я так зашел. Разговорились, узнал, что я скульптор, и вот...

— Что это за история с катехизацией, кстати? — спросила она, заглядывая Игорю в лицо. — Ты кого разыгрываешь, меня или их? Решил стать католиком? Ты, атеист?

— Это сложный вопрос, — уклончиво ответил Игорь. — Лучше бы нам этого не касаться.

«Ну да, конечно! — Александра прибавила шаг, подстраиваясь к размашистой походке своего спутника. — Ты просто-напросто ищешь способы заработка и вот, кажется, отыскал непаханое поле... Надо же тебе как-то здесь закрепиться!» Впрочем, она и сама была рада не трогать больше эту тему. Поспевая за ним в сторону Покровки, перепрыгивая через лужи в выбоинах асфальта, она вспоминала показательный случай из своего прошлого.

«Вот был у меня клиент один, собирал русский авангард. Ненавистник всего церковного, пламенный атеист, даже не агностик — никаких высших сил в мировом порядке вовсе не признавал... И что же? Умер в монастыре, честным сидельцем... Удостоился, как говорится, кончины праведной, непорочной, мирной. И быстро это так с ним совершилось, в год-полтора, и без всяких видимых причин. Произошел переворот в душе, человек изменился неузнаваемо. Кто же знает, что здесь творится? Он говорит одно... А может быть, просто не может сейчас сказать ничего другого!»

Она была рада уже тому, что ей этим вечером не пришлось возвращаться в опустевший дом в одиночестве. Никакого двойного смысла визиту Игоря женщина не придавала, потому что сама не искала никакого другого смысла в этом посещении. Поэтому она держалась свободно и непринужденно, отворяя дверь мастерской и приглашая гостя войти:

— Только не пугайся, тут все более чем скромно.

— Вижу! — Переступив порог, мужчина растерянно оглядывал большое помещение, темное и захламленное.

Александра включила свет, и над столом загорелась низко висевшая лампа в жестяном абажуре. Дальние углы мансарды тут же скрылись в густой тени, вмиг ставшей непроницаемой, по контрасту. И, словно включившийся свет был сигналом, на крышу обрушился дождь.

Игорь, непривычный к звуковым эффектам мансарды, даже втянул голову в плечи, ошеломленный дробным шумом прямо над головой. Александра рассмеялась:

— Не бойся, крыша хотя и древняя, но на удивление выносливая. Пока не протекала серьезно. Если протечет — все, придется мне отсюда тоже уходить. Никто ее чинить не станет.

— Думаешь, дом снесут? — осведомился Игорь, придвигая стул и присаживаясь к столу.

— Говорят, на реконструкцию идем... Но это может значить и снос, за исключением оболочки... Ты же знаешь, как оно делается.

— Знаю... — эхом откликнулся мужчина.

Внезапно повисшая пауза показалась Александре долгой. Гул дождя над головой усиливался, теперь по скатам крыши несся на мостовую настоящий поток. Далеко прогремел первый раскат грома — или это мотался на ветру отставший клок кровельного железа. Игорь взглянул на женщину и тут же отвел глаза, словно испугавшись чего-то.

«А если он сделал из моего приглашения какие-то свои выводы? — вдруг подумала Александра. Мысль была щекочуще неприятной. — Вот этого бы не надо... Недомолвки, претензии, обманутые ожидания... И, как следствие, обиды. А что он должен думать, в самом деле? Сама ему позвонила, напросилась в гости, поужинала с ним, позвала к себе...»

— У меня тут вся Италия была, —заговорила она преувеличенно громко и деловито, подходя к стеллажам, заваленным папками и разрозненными бумагами. — Если твои алтари где-то и есть, то здесь.

— Помочь? — откликнулся мужчина, все еще сидевший в напряженной, принужденной позе.

— Посмотри вот здесь, — Александра сгребла с полок кипу старых вырезок и распечаток и положила перед ним. — Я знаю, знаю, все это каменный век, бумажки, сейчас все цифруют и ищут в сети. Но представь, те несколько жалких попыток, которые я предпринимала, когда искала информацию через сеть, ничем не кончились. Гугл, как мне говорила одна моя очень прогрессивная знакомая, знает все! Но это «все» очень часто все не о том...

— А я и не спорю! — заметил Игорь, склоняясь над бумагами. — Ты же у нас признанный знаток! Вот если бы ты оцифровала все свои бумажки, гугл бы и впрямь знал все!

— Вряд ли можно этого ждать! — Александра отошла к стеллажу и принялась перебирать папки. — Знаешь, я консервативна... Ужасно. Себе во вред. Скоро потеряю всех клиентов!

— Кстати! — Мужчина поднял голову от разбираемых бумаг. — Что касается твоей помощи и консультации, я заплачу, не сомневайся!

— С ума сошел! — помедлив, изумленно проговорила художница. — Брать деньги за такую чепуху... Мне самой интересно, что это может быть такое. Визуально-то я неплохо помню эти алтари, даже снимала их не раз... Не столько ради любви к искусству, сколько ради колорита. Забавные случалось видеть вещицы: всякие подарочки там пристраивают, рюмочку водки, сигаретку кладут покойнику... Язычество совершенное, только христиански окрашенное.

Продолжая перебирать бумаги, она вспоминала уже молча. Эти маленькие алтари встречались ей то и дело во время давних странствий по Южной Италии и Сицилии. То было блаженное время, нищее и полное открытий. Удивительные церкви, каменистые дороги, окаймленные стенами из булыжников, колючий дрок, рвущий обувь и джинсы... Когда она, карабкаясь по крутому берегу над морем, присаживалась отдохнуть на обочине тропинки, горьковатый морской ветер забивал ей горло. Александра сидела на обрыве, свесив ноги, отталкивая носками кроссовок мелкие камешки и следя за тем, как они, вертясь, пронзают слепящую синеву внизу, исчезают, словно еще не долетев до воды. О смерти она думала меньше всего, когда вошла в большую старинную деревню, — та значилась в ее путеводителе, составленном самостоятельно по указаниям друзей. Александра собиралась осмотреть церковь и спешила, чтобы успеть до того, как ее запрут на ночь. Еще следовало позаботиться о ночлеге, хотя друзья предупредили, что в любом доме гостя примут беспрепятственно и оставить за ночлег, ужин и завтрак придется сущие пустяки.

На подходе к церкви она остановилась, заинтригованная необычным зрелищем. Старая женщина, морщинистая, загорелая, вся в черном, зажигала свечку в маленькой нише, укрепленной на углу дома. Также Александра заметила в нише тарелочку с печеньем, бокальчик, очевидно, с вином или водой, маленькую куколку. На заднем плане виднелось грубо-примитивное изображение Богоматери — творение деревенского маляра, по совместительству художника, или кого-то из членов семьи. Богоматерь, такая же черная от солнца и бедно одетая, как старуха, сурово и дико смотрела из глубины ниши огромными зрачками, окруженными совиными желтыми белками. Это изображение, как и культ, который явно справляла женщина, заинтересовали Александру. Она рискнула задержаться и вступить в разговор, чтобы узнать, нельзя ли остановиться на ночлег в этом доме. Хозяйка ответила, что можно, и сообщила также, что священник уже запер церковь. Торопиться было некуда до утра, и Александра осталась. Поужинав кислым молоком, маслинами и свежеиспеченным хлебом, она почувствовала неумолимую усталость, сладко сковавшую и тело, и разум. Перед сном ей захотелось подышать морским воздухом — в доме с толстыми каменными стенами, маленькими окошками и земляным полом было душно. Выбравшись наружу, она опустилась на деревянную скамью у дверей. Вскоре появилась и хозяйка. Вытирая руки фартуком, она прошла к нише на углу, деловито поправила чадящий фитиль догоравшей свечки и несколько раз мелко перекрестилась. Александра решилась спросить о смысле ее действий и назначении ниши.

— Это алтарь печали, — ответила та, вздохнув и перекрестившись еще раз. — Поминание об усопшей.

Так Александра впервые увидела один из тех алтарей, которые после встречались ей не раз — и в Южной Италии, и на Сицилии. Трогательные варварские поминальные жертвенники, лишь по внешности христианские, они воздвигались на стенах домов, где кто-то умер, и поддерживались в порядке в память о дорогих усопших, давних и новых. Конфеты, водка, мелкие монеты, обломки сигар — все годилось для того, чтобы побаловать покойника, чтобы (как объяснили однажды Александре) его душа не была голодной и обиженной, не пришла в дом и не увела с собой еще кого-нибудь...

— Алтарь печали!

От ее возгласа, разрезавшего тишину мансарды (дождь шумел мягче, гроза, так и не разразившись толком, уходила в сторону от центра), Игорь так и подскочил. Несколько листков вылетели из взъерошенной пачки бумаг и спланировали на пол. Он наклонился их поднять, но Александра остановила его:

— Алтарь печали, ты понимаешь?

— Пока еще нет, — проворчал он, удивленно глядя на женщину. — Нашла что-то?

— Altare tristezza! — воскликнула она. — Так это звучит по-итальянски, я вдруг, как сейчас, услышала... А по-латыни будет почти так же, altare tristitia!

— Прости, но я ничего...

— Алтарь Тристана! — с победоносной улыбкой заключила она. — Надпись на фото, помнишь, ты мне показывал сегодня старые снимки ниши? Я подумала тогда — почему Тристана, если у нас библейский сюжет, а вовсе не рыцарский? Почему слово «тристан» написано со строчной буквы, ведь это имя? Теперь мне все ясно! Это вовсе не имя, кто-то ошибочно, может, со слуха, и явно недопоняв, записал название «алтарь печали» по-латыни или по-итальянски, но на русский лад! Она и похожа на «алтарь печали», эта ниша! Библейский сюжет, какой угодно, и местечко, чтобы приносить маленькие жертвы усопшему...

— Любопытно! — без особого восторга заметил Игорь. — Искал, значит, рукавицы, а они за поясом. Ну что ж, такую штуку я сделаю в два счета. Мой-то эскиз все равно лучше. Стоило возмущаться!

— Дай-ка взглянуть!

Подойдя к столу, Александра рассмотрела эскиз, который отверг заказчик. Собственно, это был триптих. Центральная часть алтаря изображала Распятие на Голгофе. Левая стена была занята сценой в Гефсиманском саду, а именно — эпизодом с поцелуем Иуды. Правая изображала скорбящую Деву Марию.

— Довольно пышно задумано, — заметила женщина, ознакомившись с эскизом. — Хотя если алтарь будет гармонировать с общим стилем церкви... Он делается в честь какого-то скорбного события, как я понимаю?

— В подробности я не вдавался, но, кажется, его родственник, в память о котором задумана эта ниша, невинно погиб, — сообщил Игорь. — И что же мне прикажешь делать? Упростить концепцию? Соорудить что-то вроде деревенского примитивного алтаря? Так ведь надо, чтобы не только ему понравилось, а и приходскому священнику, который будет утверждать эскиз! Два заказчика: один капризничает, о втором я вообще ничего не знаю... Тут не заработаешь, а время потеряешь!

— Советую бросить, — повторила Александра, возвращая эскиз.

Неудача скульптора мало ее занимала, мысли женщины были заняты другим. Она вспоминала то немногое, что рассказала ей о судьбе разбитой ниши Ирина.

— Вот странно... — проговорила она. — Очень странно! Эта ниша, которую ты начал делать, «алтарь тристана»... Ведь ее оригинал, тот, который давно разбит, был выполнен женщиной, которая никого из близких не похоронила. Напротив, она только что родила ребенка! Правда, через полтора года умерла...

— Люди иногда предчувствуют близкую смерть, — небрежно ответил Игорь. — И потом, я по опыту тебе скажу, что у женщин после родов бывает такая депрессия, что все мысли и впрямь о смерти!

— Ты говоришь действительно как опытный человек, — улыбнулась Александра. — У тебя ведь есть дети?

— Двое. Жена забрала. — Разом помрачнев, мужчина поднялся из-за стола, отряхивая руки от пыли и отодвигая ворох старых бумаг. — Что ж, сделаю еще одну попытку. Не угожу ему — брошу. Что, в самом деле, переливать из пустого в порожнее... А тебе спасибо! За мной должок...

— При случае тоже поможешь!

Поняв, что гость собирается уходить, Александра не знала, радоваться ей или огорчаться. С одной стороны, счастливо разрешился двусмысленный вопрос о том, чего мог ожидать от нее Игорь. С другой — она вновь оставалась в особняке одна...

Провожая его к двери, художница напомнила о заказе, так ее тревожившем:

— Хотя клиентка больше не торопит, ты все же сделай в срок! У меня сердце не на месте... Странная там история... Развязаться бы с ней поскорее.

Игорь обещал не задерживать.

— В воскресенье все будет сделано, — сказал он, выходя на площадку. — Заодно и с заказчиком увижусь. Придет ли еще... Не зря ли я мучаюсь...

Заперев за гостем дверь, Александра присела к столу и стиснула ладонями виски. У нее разболелась голова. Ливень, первый в году, внезапно начавшись, так же неожиданно закончился. В желобе за приоткрытым окошком шумела стекающая с крыши вода. С улицы доносился мягкий шелест рассекаемых машинами глубоких луж.

«Надо жить этим днем, заботиться о хлебе насущном! — уговаривала себя женщина. — Есть работа — заняться ею. Что мне этот алтарь, эта семья? Какое мне дело до того, что на самом деле происходит с Иваном, что затевает Ирина?» Но снова и снова ее мысли возвращались к квартире в Кривоколенном переулке и ее обитателям, которых держала вместе отнюдь не родственная привязанность.

«Свекор подозревает Ирину чуть ли не в том, что она умалчивает о смерти сына и желает смерти ему самому! Нина уверена, что дыма без огня не бывает, и вся эта загадочность, которой окружила себя Ирина, скрывает именно самое худшее... И я готова с нею согласиться!»

Возмущение молодой женщины, ее нежелание идти на поводу у родни мужа были понятны Александре. «Ирина одинока, вот уже два года живет какой-то вывернутой жизнью, бросив работу и карьеру, любимого мужа ради того, чтобы терпеть выходки и капризы двух ненавидящих ее людей! И все же ей бы следовало любой ценой развеять подозрения, которые питают на ее счет. Ведь это значит выбить оружие из рук противника! А она не торопится, даже нарочно упорствует... Разумно ли это? Она совсем не глупа. Такой скверный характер? Такая страшная обида, что невозможно сделать маленький шаг навстречу? Или... Она не может сделать этот простой шаг, потому что... Лжет абсолютно обо всем?!»

История о просроченной визе Ивана, о его жизни и работе чуть ли не в подполье, за границей, в Париже, там, где его много раз могли схватить представители миграционной службы, выдать свои же коллеги, казалась странной. Многое было попросту неправдоподобно.

«Нелюбовь к технике — вещь мне понятная, я сама страдаю этой глупой болезнью. Но если бы речь шла о моем отце... Да, об отце! Вот это и подозрительно — сын как будто совсем выключен из ситуации. Все происходит только с подачи Ирины, узнается в пересказе Ирины, делается с соизволения Ирины... А сам-то он? Жив ли, в самом деле?»

Она попыталась вспомнить все, что рассказывала ей молодая женщина об имущественных делах. «Квартира в центре... Проданные Ниной коллекции, не то грошовые, не то очень ценные. Завещание в пользу сына, угрозы старика написать дарственную на Нину. Ну а если он умрет, не сделав дарственной, так ничего и не узнав об Иване, а потом окажется, что сын мертв? Кто наследует Ивану? Жена, по умолчанию?!»

Ей вспомнилась история, случившаяся со знакомым коллекционером. Тогда наследство, оставленное им по завещанию единственному прямому наследнику, некоторое время считалось спорным, так как тот к моменту смерти наследодателя сам умер. Наследник жил в провинции, в Москве не бывал, с родственником не контактировал, и о его смерти никто долгое время не знал. В конце концов, наследство получила супруга наследника, так как в завещании были найдены аргументы в ее пользу перед остальными, дальними родственниками.

«Как-то это называлось, — припоминала Александра. — Предназначенные наследники? Альтернативные наследники? Там было оговорено, сколько мне помнится, что наследство может получить прямая наследница указанного в завещании наследника, если он сам того не сможет сделать. Получилось в итоге так, что все получила совершенно незнакомая покойному женщина, чьего имени он и не помнил. Конечно, знай он, что его прямой наследник мертв, он бы переписал завещание на кого-то поближе... А быть может, и нет! Ведь в таком случае логично позаботиться о том, чтобы были упомянуты именно те лица, которым он хотел передать имущество... А подобное отношение, — это мне его племянница, оставшаяся ни с чем, с обидой говорила, — все равно что демонстрация своего неприятия. Но кто знает, как выглядит завещание Виктора Андреевича?»

«Как плохо, что у меня нет телефона Нины! Не догадалась попросить, да она и убежала так внезапно! Я что-то не то сказала, рассердила ее, кажется... А теперь, как с ней встретиться? С Ириной разговаривать, кажется, бесполезно...» Художница ругала себя за то, что не сумела внушить Нине доверия. «Она так и не поверила, что я не сообщница Ирины... Сообщница! Вот и я думаю о ней как о преступнице, но... Ведь она сама все делает для этого!»

Александра легла спать с твердой решимостью завтра же добиться встречи и разговора либо с самим Виктором Андреевичем, либо с родственницей его покойной жены. У нее появился план, как разузнать что-то об Иване, не привлекая к этому его несговорчивую супругу. План простой и, как ей казалось, быстро осуществимый. «Быть может, — думала она, засыпая, — судьба нас затем и столкнула с Ириной, чтобы я как-то уменьшила страдания этого несчастного старика! Горькая старость, среди раздоров, тревог, сомнений...»

Утром в пятницу, встав необычайно рано для себя, Александра отправилась в Кривоколенный переулок. Она шла, то переходя почти на бег, то замедляя шаги и теснясь к стенам домов, чтобы уступить место на тротуаре прохожим. Ее мысли текли в такт шагам — то смятенно, бурным потоком, то неторопливо, почти замирая. Художница пыталась решить сложную, самую трудновыполнимую в плане задачу.

«Нина все-таки живет не там, хотя и часто бывает. Вероятность того, что она откроет мне дверь, мала. А вот как бы эту вероятность исключить с Ириной? Она будет против моего плана... Да если бы и согласилась, лучше обойтись без нее! Остается подождать, пока она уйдет куда-нибудь, подняться в квартиру и поговорить со стариком. Но... Как он мне откроет? Он же глух... Звонка не услышит!»

Выманить из квартиры Ирину она решила самым примитивным способом: позвонить ей и попросить о новой встрече, якобы для важного разговора. Александра собиралась назначить встречу где-нибудь на бульваре и попросту не явиться. Пока Ирина будет дожидаться, можно обговорить с ее свекром детали плана. Конечно, срыв встречи вконец испортил бы отношения с молодой женщиной, но Александра и без того не надеялась на ее доверие.

Однако обманывать никого не пришлось, все решилось куда проще. Уже на подходе к переулку Александра достала телефон и позвонила молодой женщине. Ирина ответила и, услышав, что художница вновь хочет встретиться, резко прервала собеседницу на полуслове, заявив:

— Об этом надо было предупреждать заранее, сейчас меня дома нет!

— А когда вы вернетесь? — замирая, осведомилась Александра.

— К вечеру, не раньше. И вообще... Не вижу никакого смысла в наших встречах! Вчера я вам все предельно ясно объяснила. А если речь о нише, то, повторяю, я заплачу деньги полностью, когда работа будет готова!

— Мастер обещал все доделать в воскресенье, — поспешила ответить Александра.

— Тогда и увидимся! — заявила Ирина и прекратила разговор.

Такой поворот событий устраивал художницу, тем более что ей не пришлось назначать фальшивую встречу. Однако осталось неясным, как увидеться с человеком, не могущим услышать звонка в дверь. «И как попасть в подъезд, для начала?!»

Она не помнила номера квартиры, лишь ее расположение. Да на дверях подъезда и не было табло домофона — лишь кодовый замок с истертыми кнопками. И вновь ей повезло. Александра не простояла на крыльце нескольких минут, как дверь с писком отворилась изнутри и вышла пожилая женщина в плаще и шелковом платке. Поглядывая на ясное небо, она окинула взглядом художницу. Та, поймав на лету закрывавшуюся дверь подъезда, решилась заговорить:

— Извините, я пришла к Виктору Андреевичу, со второго этажа... Но боюсь не достучаться, не дозвониться, он ведь...

Соседка, словно обрадовавшись, быстро заговорила:

— Глух, как тетерев, бедняга, правда! Можете не стараться, не достучитесь все равно.

— Но как же к нему приходят гости?

— А кто к нему приходит? — Соседка вновь измерила Александру взглядом, словно запоминая приметы. — Вы первая за последние годы, кто о нем вообще спросил. А зачем он вам?

— Просили передать ему кое-что, — уклончиво ответила Александра.

Она бы тут же прервала разговор, чтобы не отвечать на опасные вопросы соседки, но не теряла надежды, что та каким-то образом поможет ей попасть в квартиру. И оказалась права. На секунду задумавшись, женщина вдруг воскликнула:

— Неужели от Ивана вести?!

— Да, — кратко, не без колебания, ответила Александра.

— Так что же мы стоим? — Женщина чрезвычайно воодушевилась, ее щеки вспыхнули от возбуждения. — У меня же ключ есть, мне Нина, когда еще здесь жила, на всякий случай дала — вдруг с ним без нее что случится! А Ирины как раз нет, уехала с утра за город, посмотреть, что делается на даче. Они туда не ездят, все бросили, так что боятся, как бы не спалили... Я им говорила — лучше сдайте, недорого, пустите жильцов, присмотр будет... Но старик упрямый! — Соседка покачала головой, словно спорила сама с собой: — Если что вбил в голову, не переспоришь... И сын такой же, Нина говорила... Он там здоров ли, в своих парижах?

— Да, — кратко ответила Александра, чтобы пресечь дальнейшие расспросы.

Женщина, почувствовав ее нежелание распространяться на эту тему, больше ни о чем не спрашивала. Она отвела гостью на второй этаж и отомкнула уже знакомую художнице дверь.

— Вот радость будет бедняге... А он и не знает, что вы приехали?

— Нет... Это сюрприз... — с сильно бьющимся сердцем ответила Александра.

— Только глядите, не вышел бы слишком волнующий сюрприз-то! — предупредила ее соседка, то ли в шутку, то ли всерьез. — А то у него сердечко слабое, еще не выдержит... Тогда я уж сбегаю в магазин, потом сюда зайду!

И вновь Александре везло: соседка не стала настаивать на своем присутствии при разговоре, даже не рвалась увидеть встречу гостьи и хозяина — а эта встреча могла быть чревата разными неожиданностями. Художница вовсе не была уверена, что старик пожелает с ней разговаривать после тягостной загадочной сцены в прошлый раз. Она предполагала, что каким-то образом связалась в его сознании с утратой сына. «Если он считает меня пособницей Ирины, есть риск, что вовсе не поверит...»

Когда услужливая соседка исчезла, тишина прихожей стала звенящей. В дальнем конце была отворена дверь, оттуда на темный, затоптанный паркет падали яркие солнечные лучи. Дверь в комнату, где Александра встречалась с владельцем квартиры, была закрыта.

Чувство, которое она испытывала, нельзя было назвать страхом. Александра не боялась, но грудь сдавливал спазм, трудно было набрать воздуха в легкие. «Ну зачем я вмешиваюсь? — мелькнула пугливая мысль. — Забралась в чужую квартиру... Ведь это почти как воровство... Он же не услышит!»

Эта мысль родила другую. Глядя на открытую дверь в дальнем конце прихожей, Александра вспоминала свой первый визит сюда. «Комната Ирины. Неуютный узкий пенал, где словно и не живет никто. Она уехала на весь день и бросила дверь открытой... Как будто напоказ — мол, нечего скрывать! Конечно, все, что нужно спрятать, она прячет не здесь!»

Художницу не покидало ощущение, что в ее присутствии здесь есть нечто противозаконное. Торопясь разделаться с сомнениями, которые все усиливались, Александра подошла к двери, ведущей в комнату хозяина, и постучала. Сразу вслед за этим символическим оповещением она повернула дверную ручку и вошла.

Со времени ее предыдущего визита как будто совершенно ничего не изменилось. Хозяин сидел в кресле, на прежнем месте. На этот раз он, казалось, дремал. Кресло стояло спинкой к окну, солнце заливало фигуру мужчины, неподвижную, словно сделанную из тряпья — старого пледа, толстого свитера... Александра подошла к нему почти вплотную. Когда ее нога коснулась тени, отбрасываемой фигурой в кресле, Виктор Андреевич вдруг ожил и поднял голову.

Их глаза встретились. Старик, схватившись за подлокотники, изумленно привстал.

— Что вы здесь делаете?!

Его голос звучал на этот раз вовсе не подавленно, в нем зазвенели металлические нотки. Александра невольно подалась назад:

— Я хочу вам помочь!

— Где она? — Взгляд старика оторвался от ее губ и метнулся к двери.

Александра сделала отрицательный жест:

— Я пришла не с ней. Я одна! Меня впустила соседка!

Она повторила это еще раз, чувствуя, что хозяину, в его беспокойном состоянии, нелегко понять ее с первого раза. Наконец он понял. Откинувшись обратно, словно распластавшись по спинке кресла, задрав подбородок, на котором блестела седая щетина, Виктор Андреевич устремил на Александру пристальный, напряженный взгляд, в котором художница прочла целую гамму чувств: страх и надежду, ненависть и страстное ожидание.

— Поверьте, я хочу вам помочь! — проговорила она. — Я знаю, вы потеряли связь с сыном.

— Иван? — хрипло спросил старик. Его глаза помутнели, налившись влагой.

— Да, ваш Иван... Я узнала, что он живет в Париже и уже давно не приезжает, а вы из-за болезни не можете поговорить с ним по телефону. Есть другие способы, но он ими не пользуется... И вы сомневаетесь, что он...

— Иван жив?

Она развела руками, обескураженная тем, как прямолинейно собеседник завершил ее осторожную речь.

— Не знаю! Но у меня есть идея, как узнать...

Старик внимательно следил за ее губами и не перебивал больше. Александра изложила свой план, стараясь свести его к самым простым пунктам.

— У меня много друзей по всему миру, есть и во Франции. Очень близкие друзья в Париже. Они всегда рады мне помочь, если я прошу. Только нужно знать, где именно работает ваш сын, и я уверена, они найдут его, придумают какой-то способ, чтобы вы его увидели. Например, организуем все же сеанс связи по скайпу... — Заметив, как лоб старика прорезала недоуменная складка, она поспешила добавить: — Да в конце концов, они просто засвидетельствуют, что он жив! Вот и все... Это несложно...

Повисла тишина. Виктор Андреевич, казалось, забыл о гостье, наблюдая за роением пыли в солнечном луче, протянувшемся через всю комнату, от окна до дверного косяка.

— Они скажут то, что вы им велите... — после долгой тягостной паузы произнес он.

Александра всплеснула руками:

— Ваше недоверие понятно, даже очень! Ведь я пришла с Ириной и заговорила об этой несчастной разбитой нише! Да, я виновата, что пошла у нее на поводу, ничего не узнав толком. Ниша новодельная! Старая, как вы сами отлично знаете, давно разбита... Ирина просила меня сказать, что я видела целую нишу, она решила выдать новую за старую... Я думала, это обман во имя вашего спокойствия... Она сказала, что вы очень больны и вам непременно хочется увидеть эту нишу!

— Это она вас сейчас сюда впустила!

Уверенность, звучавшая в голосе хозяина, приводила Александру в отчаяние. Он решительно не желал ей верить! Собравшись с духом, женщина заговорила твердо и спокойно, глядя старику в глаза:

— Я не подруга Ирины, не знала ее раньше, и мне все равно, какие у вас отношения и что ее ждет дальше! Но я узнала, от нее и от Нины, что вы уже два года не получаете вестей от сына иначе как через невестку. А невестке не верите, и потому у вас дурные мысли. Я могу помочь. Я предлагаю от чистого сердца! — И, так как старик молчал, Александра добавила: — Вы можете мне не верить, как не верите Ирине. Но человек, который не верит никому, остается в конце концов один...

Она не собиралась больше ничего прибавлять. В ней крепла уверенность, что этого старика, замкнувшегося в своем горе, неприступного, закрытого для мира, словно дом с заколоченными окнами, не удастся переубедить. Александра махнула рукой, одновременно выражая отчаяние и прощаясь. Повернулась, сделала шаг к двери.

— Погодите... — услышала она за спиной сорвавшийся слабый голос. — Я... согласен. Узнайте, что можно, ради бога! Сын — это все, что у меня осталось!

Глава 7

Выйдя на улицу, художница жадно глотала пьянящий, легкий весенний ветер. В пропахшей лекарствами комнате Виктора Андреевича она не могла дышать свободно. Стылый воздух, который не могло прогреть яркое солнце, вливавшееся в незашторенное окно, тяжелый дух, свойственный старым домам с толстыми стенами, пропитавшимися за многие десятилетия сыростью, словно до сих пор забивали ей ноздри. Она простояла на крыльце несколько минут, прежде чем согрелась и окончательно пришла в себя.

Беседа со стариком оставила у нее тягостное впечатление. Гдынский — такова оказалась фамилия старого театрального художника — хотя и согласился принять ее план, но по-прежнему не доверял женщине. Прямо он этого больше не говорил, но его недоверчивые расспросы, настороженность, мелочная подозрительность, проявленная при обсуждении, не оставляли места для сомнений.

«И хотя он не верит, видно, я и впрямь его последняя надежда... Только плоха та надежда, на которую вовсе не надеются! Трудно помочь такому человеку... Неверие все разрушает! Слишком долго он сомневался во всех ближних, слишком долго, чтобы вдруг поверить мне, чужой...»

...Ей пришлось несколько раз повторить все несложные детали своего плана. Александра предлагала связаться со своими друзьями в Париже и попросить их прямо зайти в театр, с которым нелегально сотрудничал Иван. Там (этот момент представлялся ей самым трудным) отыскать людей, которые захотят говорить о нем. Александра предполагала, что если Иван действительно работал нелегально и других причин откладывать приезд в Москву у него не было, его должны были скрывать от посторонних, чтобы не получить неприятностей с налоговой и миграционной службами.

— Но все же есть большая вероятность, что удастся разговорить или просто подкупить кого-то из сотрудников театра, — сказала она Виктору Андреевичу.

Тот скривил бледные губы и презрительно произнес:

— Подкупить? Да кого угодно. Там все продажные. Вы знаете хоть, что это за театр?

Название ничего не сказало Александре. Когда она призналась, что далека от театральной жизни и никогда не слышала ни о чем подобном, Виктор Андреевич, саркастически улыбаясь, пояснил:

— Это кабаре! Помесь кабака и борделя. Какой там театр!

— Кабаре... — неуверенно протянула Александра. — Вы хотите сказать, самого низкого пошиба? Ведь есть очень популярные заведения, престижные! Я сама никогда не бывала, но слышала...

— Мне все равно, престижное или нет, для меня они все одинаковые, — отрезал Гдынский. — Это срам... Иван принадлежит к династии театральных художников! И я с его покойной матерью, и мой отец, и он сам, все работали с уважаемыми, серьезными театрами, никто из нас не запятнал своего имени, ни разу! Зачем его понесло во Францию? Неужели здесь мало кабаков? Какое там можно сделать имя... Какую карьеру! Он погубил себя, здесь его уже забыли, ему стыдно возвращаться!

«Все же он верит, что сын жив! — поняла Александра, следя за тем, как вдруг оживилось это мертвенно-бледное лицо. — Все еще верит!»

— Так или иначе, — сказала она, — о нем можно будет что-то узнать.

— Постарайтесь... — Старик почти шептал, устремив на Александру загоревшийся взгляд. — Об этом никто не заботится... Они давно могли бы это сделать, обе! Ждут, когда я умру и одной из них достанется все... Но я не желаю благодетельствовать ни той, ни другой, если Иван жив!

Очнувшись, Александра достала из сумки зазвонивший телефон. Номер был незнакомый, и, как она сразу поняла, зарубежной телефонной компании. Ответив, художница узнала голос Стаса.

— Знаю, знаю! — жизнерадостно воскликнул он. — Не звонил, не отвечал, забыл роуминг включить. Купил вот карту местную. Как дела, красавица? Тебя там волки не съели, в нашей избушке?

— Пока нет, но вот-вот, — сурово оборвала она его. — Ты подкинул работенку, с этой нишей!

Узнав о своей оплошности, Стас смутился лишь на секунду. Издав короткий хриплый звук, нечто среднее между кашлем и рычанием, он заявил, что промахи случаются даже с великими мастерами.

— Ну да, и эти промахи входят в мировую историю, — язвительно заметила она. — И Микеланджело ошибался, когда Сикстинскую капеллу расписывал... Только тот не удирал в Черногорию, отключив телефон, и не бросал заказ на бедную соседку.

— Да верну я деньги! — вяло пообещал Стас. — Не сумма... Ничего страшного. Могу на счет ей перевести.

— Дело не в деньгах... Она ничего ни с кого не требует, твоя заказчица. — Александра смотрела в сторону бульвара, по которому, громыхая, катился трамвай. — Скажи, когда ты делал барельеф, тебе в глаза не бросились какие-то странности?

Она имела в виду ту спорную деталь, на которую обратил ее внимание Игорь, считавший, что на барельефе отсутствует младенец. Наводить Стаса на эту мысль ей не хотелось, она рассчитывала, что он сделал свои выводы. Но сосед ее не понял.

— Да я уж не помню, — честно ответил скульптор. — Какие там странности... Сделал и сделал. Напорол, оказывается... А зачем ты обратилась к этому, к Игорю? Можно узнать, почему такой выбор?

В его голосе звучала ревность профессионала, которому предпочли другого. Александра насмешливо напомнила:

— Да ведь тебя под рукой уже не было, дорогой сосед, так что пришлось обратиться к крепкому середнячку! Этот сделает в срок, причем именно «Бегство в Египет», а не «Возвращение»!

— «Бегство», «Возвращение», — проворчал уязвленный скульптор. — Баре с жиру бесятся, барам скучно... Будто не все равно, в какую сторону идет ослик?! Послушай-ка, да! Было кое-что! — воскликнул он внезапно, словно осененный случайным воспоминанием. — Было! Эта барышня, заказчица, обронила фразочку... Мне это на ум запало, потом забылось, ты вот напомнила, когда спросила.

— Что же она сказала? — Александра почувствовала, как быстрее заколотилось сердце.

— Я спросил ее, когда брал снимки, не потеряла ли она кого из родных, не для колумбария ли работа? Я ведь часто такие штуки изготовляю, сама знаешь, мои кормильцы — это покойники. Ну и сюжет религиозный. А она возьми и брякни, что покойник, ради которого ниша делается, давно уже умер.

— И... больше ничего?

— Да ничего. Условилась о сроке и ушла. Я-то заинтересовался ею, думал — вдова. Сама знаешь, вдовы народ чувствительный... А барышня интересная! С шиком!

Художница все еще слышала сильное биение крови в ушах, но волнение сменилось разочарованием. На миг ей показалось, что разгадка тайны близка, но банальная фраза, оброненная Ириной, ничего не объясняла, а запутывала дело еще больше. «Алтарь тристана», искаженное «altare tristitia», или «altare tristezza», — ясно, что вещь создана в память о потере, и понятно, что потеря уже очень давняя... Но это было ясно и так. «Покойник, ради кого ниша делается, давно уже умер», да, десятилетия назад...

— Конечно, ты мастер вдов утешать! — заметила она, с трудом оторвавшись от своих мыслей. — Но этой заказчице твои услуги не требуются, она замужем!

— Как это? — не смутившись, возразил Стас. — Она о муже и говорила!

— Что?!

— Для мужа эта ниша, и муж давно уже помер, — пояснил скульптор.

— Постой... — Александра переложила телефон в другую руку, крепче прижав к уху. Ей казалось, она не все расслышала правильно. — Ты не мог напутать? Ниша действительно делается для ее мужа... Но он должен быть жив!

— Слушай, — уже раздраженно ответил Стас, — я трезв, на удивление! Напиться предполагаю только завтра! Она сказала буквально: «Ниша для покойника, только он давно уже умер. Это для моего мужа!»

Слово в слово. Вас, женщин, конечно, понять непросто, но это я понял!

— Допустим... — после паузы проговорила художница. Она никак не могла прийти в себя. — Больше Ирина ничего о муже не говорила?

— Больше она вообще не говорила со мной, ушла и телефона не оставила. Признайся-ка, почему тебя все это так интересует? Какое тебе до нее дело? Не требует денег обратно за испорченный заказ, и спасибо. Великодушная женщина! А вдова она или замужем — мне все равно, да и тебе должно быть все равно! Или там еще что-то случилось, ты мне не все говоришь?

Александра успокоила встревожившегося собеседника, заверив его, что заказчица в самом деле не предъявляла к нему никаких претензий и ничего не требовала. Стас пообещал вернуться и лично извиниться перед Ириной, вернув полученную сумму.

— Совесть у меня есть, не думай, да и гордость тоже!

Попрощавшись, Александра сунула телефон в сумку и медленно, задумавшись, пошла по переулку, залитому солнцем. Начинало припекать совсем по-летнему. Тени, отбрасываемые на высохший тротуар домами, становились синими, того глубокого оттенка, который бывает лишь в жару. Женщина сняла куртку и перебросила ее через локоть.

«Удивительно, — думала она, направляясь прочь от бульвара. — Центральные московские переулки в жаркие дни бывают так безлюдны! Кажется, тут яблоку негде упасть, но иногда среди бела дня — ни души... Редко кто-то мелькнет...»

Вот и сейчас впереди виднелся всего один прохожий. Он так же неторопливо направлялся к центру. Его светлая куртка все время маячила у Александры перед глазами.

«Собственно, мне ведь надо торопиться домой, сесть за работу, — сказала она себе, прибавляя шаг, по-прежнему держась за этим высоким худощавым мужчиной, который вышагивал по переулку, готовясь свернуть на Мясницкую улицу. — Работу никто за меня не сделает!» Уговоры были тщетны. После долгой зимы Александре хотелось погреться на солнце, подышать вольным воздухом. Все вызывало бессознательную, теплую радость: пролетевшая мимо бабочка-крапивница, похожая расцветкой на закапанный чернилами, порыжевший клочок пергамента, лазурный отблеск неба в последних сохнущих лужах, смех идущих мимо девушек, одетых уже по-летнему.

На Мясницкой, остановившись и продолжая уговаривать себя вернуться домой, она вновь увидела прохожего в светлой куртке, потерянного было из виду. Он остановился у витрины антикварного магазина, на противоположной стороне улицы, и что-то рассматривал. Теперь он стоял вполоборота и, присмотревшись, художница внезапно узнала в нем того самого придирчивого заказчика, которому не смог угодить Игорь.

«А идет-то он, наверное, в церковь! — предположила она, следя за тем, как мужчина, оторвавшись от созерцания витрины, вошел в подворотню. — Однако и впрямь за кого-то сильно молится, и ему, конечно, вовсе не все равно, каким получится его “алтарь печали”! Игорю придется постараться, может, еще не раз... Когда у человека большое горе, ему часто кажется, что окружающие мало ему сопереживают... Чувствуют совсем не то и не так. Такие, душевно раненные люди смотрят на все совсем другим взглядом, через призму своей боли, и мир видится им искаженным...»

Почему Александра, уже сознательно, вновь двинулась следом за ним, она сама не могла понять. Этот человек еще при первой, мимолетной встрече заинтересовал ее.

«А может быть, его алтарь и мой — они сплелись у меня в сознании, и потому кажется, что между нами есть некая связь... Этот заказчик уже подарил мне разгадку одной тайны... Пусть маленькой, ничтожной, я узнала всего лишь, что означала странная надпись на старом фото. Искаженное “алтарь печали”, а вовсе не “алтарь Тристана”. И тем темнее стала истина — в чью честь сделан алтарь? О ком она печалилась, та молодая женщина, счастливая мать? Почему так рано умерла?»

Прибавив шаг, Александра пересекла улицу и вошла в подворотню. Человека в светлой куртке уже не было во дворе, но она помнила дорогу к храму и уверенно пошла по ней, между старинных, приземистых, облезлых особнячков.

«Быть может, — на ходу раздумывала Александра, — у той женщины на сердце была тяжесть, которую она могла высказать и выразить только молча, в этом алтаре... Быть может, муж и ребенок не утешали ее в этом горе? А если она любила кого-то, а он умер... Теперь уж не узнать! “Покойник давно умер”, — сказала Ирина о нише. “Это для моего мужа!” — добавила она. Но что значит эта фраза? Конечно, ниша делалась для Ивана, чтобы он мог успокоить отца. И получить наследство, конечно... Такой громоздкий способ оказался намного проще, чем связь по скайпу, скажем... Что это значит? Жив ли Иван, в самом деле, или... Ирина о нем и говорила, когда упомянула покойника?!»

Так, размышляя, она приблизилась к церкви. Но мужчина, лишь чуть помедлив у калитки, вопреки предположениям художницы, не вошел в церковный двор, а двинулся дальше. Удивленная Александра вновь прибавила шаг — теперь заказчик заторопился. Он пересек Малую Лубянку, свернул на Большую и вышел на Кузнецкий мост. «Зачем я за ним увязалась? — спрашивала себя раздосадованная женщина. — Мне совсем не нужно в эти края... Дома ждут дела...»

И все же она шла, держась на расстоянии двадцати шагов от мужчины в светлой куртке, который двигался, по ее мнению, странно. То казалось, что он просто гуляет: походка была расслабленной, неторопливой, словно заказчик наслаждался солнцем, ласковым теплым ветерком, слегка морщившим быстро сохнущие лужи. То вдруг, словно вспомнив о намеченной цели, он почти начинал бежать, и приходилось гнаться за ним, чтобы не потерять из виду.

Они вышли уже на Петровку, когда мужчина вдруг остановился как вкопанный. Александра тоже вынуждена была остановиться, сделав еще несколько шагов. Она увидела, как заказчик принялся вдруг шарить по карманам. Судорожно, порывистыми движениями ощупав куртку, брюки, словно ища что-то крайне необходимое, мужчина вдруг покачнулся и опустился на землю, встав на одно колено, потом на оба. Он упал бы, если бы подбежавшая художница не поддержала его под локоть.

— Вам плохо?! — воскликнула она.

Мужчина не ответил. Он стоял на коленях, опустив голову, все ощутимее наваливаясь на поддерживавшую его руку. «Я не удержу его, он упадет!» Она оглядывалась, но прохожие стремились побыстрее миновать их. Александра уже собралась прямо потребовать помощи от первого попавшегося человека, когда мужчина вдруг зашевелился и сделал попытку встать. Художница поторопилась ему помочь, и он, выпрямившись, удержался на ногах, хотя его заметно пошатывало.

«Может, он пьян?» — спросила она себя, заглядывая ему в лицо, но тут же отмела эту мысль. Заказчик был бледен, сипло и часто дышал сквозь стиснутые зубы, его неподвижный взгляд, казалось, созерцал что-то очень далекое — во всяком случае, не Петровку с машинами, дорогими магазинами и спешащими прохожими и не женщину рядом, не ее испуганное лицо.

— Я сейчас вызову «скорую», — сказала она, продолжая озираться в поисках помощи. Заметив неподалеку аптеку, Александра радостно воскликнула: — Давайте дойдем туда? Там вам помогут, позовут врача!

— Ни к чему, — заговорил наконец мужчина. — Я просто устал.

— Вы едва на ногах стоите...

— Присяду где-нибудь... Отдохну, и все будет хорошо. — Тут он словно впервые заметил ее и проговорил без особых эмоций: — Спасибо вам большое.

— Не за что. — Александра, почувствовав легкое движение его локтя (мужчина пытался высвободиться из-под ее опеки), отпустила руку. — И все-таки нужно обратиться к врачу. Может, у вас серьезный приступ?

— Спасибо за заботу! — уже намного теплее ответил мужчина. — У меня ничего особенного, уверяю вас. Это действительно усталость... Я плохо сплю в Москве... Нервы... Давайте зайдем куда-нибудь? Я просто обязан вас пригласить!

Слегка удивленная таким оборотом, Александра, улыбаясь, пожала плечами:

— Вы меня совсем не обязаны куда-то приглашать... Но идемте! Вы меня угостите кофе, а я удостоверюсь, что вам стало лучше.

Ее спутник окончательно пришел в себя, залпом выпив стакан воды, которую попросил тут же, переступив вместе с Александрой порог кафе. Лицо мужчины утратило так напугавший художницу пепельный оттенок, взгляд стал живым, хотя и оставался слегка отсутствующим. Георгий — так он представился, даже начал улыбаться и пытался шутить над своим приступом, но глаза его оставались сумрачными и печальными, словно он думал в это время совсем о другом.

Официант ушел, приняв скромный заказ, — художница наотрез отказалась от перспективы обеда и попросила кофе с пирожным. Георгий вертел в руке опустевший стакан, на дне которого побрякивали кубики тающего льда. Время от времени он делал маленький глоток талой воды. После взаимного представления повисло молчание, нарушить которое Александра решилась не сразу.

«Какие у него глаза! — думала она, глядя на сидевшего напротив человека, ушедшего глубоко в свои мысли. — О чем можно думать с такими глазами? Они как будто обращены внутрь, созерцают что-то невидимое больше никому... Вероятно, горе еще свежо...»

— Я вас видела в церкви, — сказала она наконец, видя, что собеседник совсем о ней забыл. — В храме Святого Людовика.

— Когда?! — У Георгия был испуганный вид внезапно разбуженного человека.

— Вчера, — уточнила Александра, недоумевая, почему такая простая фраза вызвала испуг. — Вы были там, говорили с моим знакомым, скульптором.

— Ах, вчера... — Мужчина потер ладонью лоб, словно пытаясь стереть мешающие мысли. — Вчера я там был, да... Вы тоже скульптор?

— Я художник. Еще реставрирую, перепродаю антиквариат, картины, всяческое старье... Если вас что-то интересует...

— Вряд ли я буду что-то покупать или реставрировать. — Георгий поставил наконец стакан. — Да и картины никогда не заказывал. Я от искусства далек, и не разбираюсь в нем совсем.

— Вот как? — Александра улыбнулась. — А вчера я слышала, как вы отчитывали Игоря за неверно понятое настроение алтарной ниши... Со знанием дела! От него потом прямо пар валил, как после настоящего худсовета.

— Да что я знаю... — протянул Георгий. — Ничего, так... Побывал недавно в командировке в Италии, увидел там эти алтари и подумал, почему бы и мне не устроить такой... На память... Для себя самого и для тех, кто еще не забыл...

Он внезапно замолчал, и Александра не торопилась нарушать повисшую тишину. Она чувствовала, что мужчина и сам стремится поделиться своей болью, а настойчивость может оказаться бестактной. «Когда заказывают нишу для церкви в память о ком-то, эту память не стремятся скрыть, наоборот! Он расскажет...»

Ей принесли кофе, и она медленно мешала ложечкой сливочную пену, опустив взгляд в чашку, когда Георгий, без понуканий с ее стороны, заговорил, отрывисто и словно обращаясь вовсе не к собеседнице.

— Если спросить у здешних прихожан: «А вы помните, как это случилось? Помните их?», кто-то ответит, что помнит приблизительно, кто-то скажет, что впервые слышит. А тогда, пять лет назад, казалось, только об этом и говорят... Так все и проходит, исчезает без следа. Я увидел те ниши, в Италии, и подумал — они ведь в честь совсем уж безвестных людей, о смерти которых ни в газетах не писали, ни репортажи не снимали. А вот что-то осталось, хотя бы кусок алебастра какого-то... Пара цветочков, лампадка. И мне захотелось сделать так же, в память о них.

— О ком? — Александра поняла, что теперь можно задавать вопросы. — Это ваши близкие? Родные?

— Как посмотреть. — Георгий пожал плечами, взгляд вновь принял отсутствующее выражение. — Есть у меня родные, которые мне совсем не близки. Не родные, нет. Родственниками мы не были, я просто знал одного из погибших. Еще давно, когда мы оба жили там... В Казахстане, в Караганде.

Он неопределенно махнул рукой куда-то в сторону витринного окна.

— Потом я уехал в Германию и вот в начале двухтысячных вдруг встретил его здесь, в Москве, в церкви. А вы-то слышали об этом убийстве? — спросил Георгий после короткой паузы.

— О каком убийстве, простите? — осторожно переспросила Александра.

Последний вопрос поселил в ней подозрение, что собеседник слишком поглощен своим горем, чтобы считаться с реальностью. «Он думает только об одном, очевидно, ему стало казаться, что все должны думать о том же и угадывать его мысли! Ничего хорошего... В том числе для Игоря — такому клиенту никогда не угодишь, он ведь ждет увидеть то, что уже есть у него в воображении. Мастер в таком случае — досадная помеха!»

— И вы не слышали! — кивнул Георгий с видом полного удовлетворения. — Все забыто, я же говорю. А тогда о нем все шептались... Это случилось здесь, рядом, на Петровке. Я мог бы показать вам дом, но не могу на него смотреть. Уж простите... Это произошло осенью, в октябре... Нашли два трупа в квартире, принадлежавшей ордену иезуитов. Убили двух священников. Убийцу скоро нашли, он что-то плел в свое оправдание, но был осужден как виновный. Кто-то плакал, кто-то молился, кто-то сплетничал. А теперь, видите, все забыто... Отец Отто Мессмер — это и есть мой земляк, и еще с ним был убит отец Виктор Бетанкур. Вы хоть имена этих священников помните?

— Я их вообще слышу впервые! — призналась Александра. — Должна вам сказать, я не прихожанка этого храма и не католичка. Я крещена в православие, в детстве, бабушкой, но вообще далека от церкви. Разве зайду где-нибудь фрески посмотреть, иконы, витражи...

— Но заходите же! — заметил собеседник. — Значит, церковь вас зовет.

— Не сама церковь, но...

— Не спорьте, — мягко возразил Георгий. — Вы ходите именно в церковь, не в музей и не в выставочный зал, где иконы и витражи бывают куда как лучше! Просто сейчас церковь говорит с вами на языке, который вы пока не понимаете. Однажды вы поймете, что она вам хочет сказать, и уже останетесь в ней сознательно.

— Хорошо, — сдалась художница, — спорить я не буду, не о чем. Говорить о том, что еще не произошло, вообще не в моих правилах...

Она ощущала глухое раздражение. Этот человек, совсем ее не знавший, живший какой-то очень далекой и непонятной ей жизнью, говорил о ее будущем с видом полного на то права; и самым удивительным было то, что его слова, как будто случайные, находили отклик в ее сердце.

Собеседник, казалось, уловил настроение Александры и заговорил другим, безлично-любезным тоном:

— А вам, как художнику, понравилась наша церковь? Говорю «наша», потому что хожу сюда, когда живу в Москве. Я ведь на две страны существую.

— Церковь интересная, — в тон ему, любезно ответила Александра. — Хотя, честно вам скажу, меня больше привлекает архитектура более ранних эпох. Там классицизм, а я, если на то пошло, поклонница романского стиля, готики. В Москве таких старинных католических храмов нет, конечно. Больше всего мне понравились статуи. Сам Святой Людовик, например... Он немножко сусальный, конечно... Но очень выразительный.

— Да, да, статуя прекрасная...

Потеплевшие было глаза собеседника вновь приобрели отсутствующее выражение, словно тема разговора перестала его привлекать. Взгляд устремился в окно, но был прикован не к фигурам спешивших мимо прохожих, а к некоей неведомой цели. Александра допила кофе, съела пирожное и уже собиралась распрощаться, но Георгий внезапно заговорил снова, словно продолжая фразу, с которой начал свои откровения.

— Сперва он убил отца Виктора, но не ушел, а сутки оставался в квартире и пьянствовал... Спокойно выходил за спиртным в магазин, в рубашке, испачканной кровью, затем возвращался в квартиру, где лежал труп... Потом приехал из командировки второй священник — это был отец Отто, занимавший другую комнату. Убийца не ожидал, что сосед появится, и убил его тоже, чтобы скрыться. Это было двадцать седьмого октября...

— Ужасно! — содрогнулась Александра. — Но по какой причине он это сделал? Почему?!

— Кто знает... Когда убивают священника, все равно какой конфессии, ко всем остальным причинам приплетают еще и прямое участие дьявола, одержимость бесами, да и чего еще только не скажут... А потом, убийца был пьян и оставался пьяным вплоть до задержания... — Георгий поднял на Александру усталый взгляд. — Их похоронили не здесь. Отца Бетанкура в Эквадоре, отца Мессмера в Германии. Я навещаю иногда его могилу... Он многое для меня сделал, поддержал в пору душевного кризиса... Не знаю, во что бы я превратился, если бы не он!

— Прошло столько лет... — Александра решилась нарушить вновь повисшее молчание. — Видно, это и впрямь был очень значимый для вас человек, если утрата до сих пор так свежа.

— Да, конечно... Но есть еще кое-что! Дело в том, что я мог тогда погибнуть тоже. — Георгий выдержал многозначительную паузу. — Мы должны были увидеться с отцом Мессмером по делу, он назначил мне встречу на вечер двадцать седьмого, как раз когда вернется из Германии... Был один срочный вопрос, который нужно было спешно решить. Но я не смог прийти, стыдно сказать, по какой причине... — Георгий тяжело перевел дух, глядя в сторону. — Ведь я когда-то очень сильно пил, — признался он, все еще избегая взгляда Александры. — Просто до беспамятства... Запоем... Приходил в себя, занимался делами, вел бизнес, потом опять срывался. Мне никто не мог помочь, да я сам не хотел себе помогать. Жена, уже в Германии, не выдержала и ушла от меня с детьми. Я был совсем уже на краю, когда встретил отца Мессмера, случайно, в церкви. Вот здесь, в Святом Людовике, как раз у его алтаря... Я тогда не молился даже... Просто стоял, полупьяный, и чего-то ждал. Он подошел, заговорил со мной, потом оказалось, что мы знакомы, земляки, общались на родине. Я его едва узнал. Он оказал мне большую поддержку, и я начал бороться... Запои еще случались несколько раз, но я выходил из них легче... Последний случился накануне его гибели. Когда убивали священников, я был пьян, как их убийца... Понимаете? Как их убийца! С тех пор я к спиртному совсем не прикасаюсь... — Он растер ладонью покрасневший лоб и взглянул на женщину, молча сидевшую напротив. — Я никак не могу понять, что тогда произошло? — спросил он не то ее, не то себя самого. — Почему я вдруг напился, да так ужасно, ведь этого давно уже не случалось? Благодаря этому я, получается, остался в живых. Но если бы я не напился, а пришел в указанное время, может быть, я смог бы предотвратить убийство отца Отто? На двоих убийца не напал бы. Я следил за судебными заседаниями... Это было ничтожество, дегенерат с уголовным прошлым. Он не напал бы на двоих, он и священников убивал поодиночке, ударом в затылок. От нас двоих он попросту бы убежал...

— Не думайте об этом! — подалась вперед Александра. — Вы не можете знать, как бы все повернулось...

Ей было по-настоящему жалко этого человека, лишившегося поддержки, которую он однажды нашел, бесцельно кружащего между церковью, где он встретил надежду, и улицей, где погиб подаривший ее священник.

— Конечно, не могу, — признал Георгий. — Но эти мысли меня не оставляют. Потому я и решил сделать алтарь. Конечно, не такой грандиозный, как наш алтарь Святого Людовика... Я хотя и крещен с детства, но, пока в эту церковь не зашел, не знал, что есть такой святой. Потом уж мне отец Мессмер и историю его рассказал, как король Людовик Девятый устраивал крестовые походы, как умер в Тунисе, со своим сыном Тристаном... Казалось бы, я был взрослый человек, побитый жизнью, а слушал, как сказку, и мне почему-то веселее становилось... Хотя веселиться тогда было не от чего...

— У Святого Людовика был сын по имени Тристан? — перебила Александра, удивленная внезапно мелькнувшим именем, о котором она часто думала последние дни.

— Да, совсем молодой юноша, лет двадцати, — кивнул Георгий. — Когда войско стояло в Тунисе и ждало подкрепления, начались эпидемии. Юноша умер первым, вскоре за ним последовал и отец. Жалко, я не смогу вам рассказать так увлекательно, как рассказывал отец Мессмер! У меня такого дара нет. У меня, — мужчина улыбнулся с печальной иронией, — нет вообще никакого дара!

— Так не бывает! — возразила Александра. — Мы все так или иначе одарены, только не всегда понимаем, в чем он заключается, наш дар. Я вот в юности твердо знала, что у меня дар художника! Училась, пыталась чего-то достичь, всерьез мечтала о славе... Но с годами стала понимать, что мои картины — это совсем не то, что я хочу принести в этот мир. Подарить ему... Нельзя ведь подарить то, чего у тебя самого нет, правда? У меня не было настолько хороших картин, чтобы мне хотелось оставить их миру в дар... И я потихоньку занялась совсем другими вещами — стала реставрировать, занялась перепродажей предметов искусства... Какая уж тут слава, сами понимаете! Но мне это нравится. Нравится разгадывать загадки, скажем так, которых в этом деле много. И у вас есть дар, вне всякого сомнения!

— Какой же?

Александра помедлила с ответом. Мужчина смотрел на нее со странно напряженным, выжидательным выражением, словно то, что ему предстояло услышать, было очень важно.

— Дар помнить добро... И быть верным своей памяти, — произнесла она наконец. — Это очень ценный дар, а то, что он причиняет вам страдания, делает его еще дороже. Вам кажется, что вы могли бы что-то сделать для своего друга тогда... Но я совершенно точно знаю, что вы многое делаете для него сейчас!

Мужчина внезапно поднялся из-за стола, наклонился к художнице и крепко, до боли пожал ей руку. Александра в панике увидела проступившие на его глазах слезы. Плачущие мужчины пугали ее так, что она полностью терялась. Вот и сейчас она не могла ничего сказать в ответ, пока Георгий горячо и сбивчиво благодарил ее. Он вдруг заторопился, словно вспомнив наконец об утраченной цели, вид у него был чрезвычайно воодушевленный. Мужчина расплатился, вновь пожал ей руку на прощание и вышел из кафе, оставив недоумевающую Александру одну за столиком. Повернувшись к окну, она увидела, как он быстро шагает по улице прочь. У него даже походка изменилась — теперь Георгий шел уверенно, словно точно зная, куда он должен прибыть и во сколько именно. У него был вид человека, которого с нетерпением где-то ждут.

«Удивительно... Ведь я ничего особенного не сказала, а как он приободрился! — Александра провожала его взглядом до тех пор, пока не потеряла в толпе. — Какого пустяка ему хватило! У каждого человека на душе своя тяжесть, у каждого своя история, только не всегда ее можно кому-то рассказать!»

Она заказала еще чашку кофе. Мысли шли вразброд, этот хаос усугубила последняя встреча и разговор, принявший неожиданный поворот. «Ведь вот совпадение! Алтарь Святого Людовика, а вместе с ним погиб сын Тристан. Как будто эхо того, о чем я думала раньше. Только здесь Тристан — это все-таки имя. Так может, я изначально ошиблась, как ошибся тот, кто написал это слово со строчной буквы? Может, это вовсе не “алтарь печали”, а алтарь какого-то конкретного Тристана — например, романтического героя? Но при чем тут евангельская тематика! Кстати, интересно — покойная супруга Гдынского имела какое-то отношение к католической церкви? Эти алтари — западная традиция, да и сын Людовика Святого, как и сказочный кельтский герой, в честь которого его, очевидно, назвали, родом с Запада. Тристан! Никогда не встречала человека, которого бы так звали...»

Она достала телефон и, пролистав книжку, нашла номер подруги, уже двадцать лет жившей в Париже. Александра знала ее со школьной скамьи. Людмила по профессии была фотографом и на одном вернисаже в начале девяностых встретила своего будущего супруга — французского журналиста. Вскоре молодые люди поженились и уехали во Францию. Бывая там, Александра всякий раз звонила Миле (так она ее называла по старой памяти), и они встречались хотя бы на полчаса, на час. Мила совсем офранцузилась, говорила по-русски с небольшими ошибками, воспитывала двоих детей, работала во французской газете. Москву она помнила, как помнят давно забытый сон, — смутно, начиная путать детали. Появлениям Александры она всегда была очень рада. Хотя Мила и уверяла, что ее дом теперь во Франции, тоска по родине ее не отпускала. За эти годы она не приехала в Москву ни разу, лишь жадно расспрашивала о ней.

«Вот еще одна загадочная история отсутствия — не едет человек сюда и не едет, хотя тоскует страшно, деньги имеются, родители тут живут! — Глядя на часы, Александра прикидывала, будет ли звонок кстати. — Но к Миле хотя бы из Москвы гости, родственники наезжают, с Иваном же все связи оборваны... Или это очень большая странность его характера, на границе с сумасшествием, или глубокая обида на отца, или... Да, или просто смерть!»

Мила откликнулась сразу. Она обрадовалась, решив, что подруга звонит сообщить о скором приезде, и огорчилась, узнав о своей ошибке, а затем с интересом выслушала поручение. Александра попыталась донести до нее смысл истории с визой и нелегальной работой, и Мила, вникнув в ее просьбу, воскликнула:

— Узнать я все узнаю, раз тебе нужно, не сомневайся! Но заранее предупреждаю — это какая-то совершенно дикая история! Люди как-то устраиваются с визами, живут спокойно, работают, ездя, куда хотят! Да у африканских эмигрантов куда больше прав и свобод, чем у этого твоего Ивана. Где он работает? Что за театр? — А услышав название кабаре, присвистнула в трубку так, что оглушенная художница поморщилась. — Ну, эти могли бы оформить ему и рабочую визу, у них средства есть! Послушай, я не верю этой истории ни на грош. Тут что-то не то.

— Вот и я... Старика жалко, понимаешь? Два года ничего не знать о сыне, подозревать, что его уже и в живых нет...

— А в случае, если он умрет, завещав все сыну, а сына тоже нет в живых, кто получит наследство?

— Хороший вопрос! — поежилась Александра. — Я так понимаю, либо Ирина, либо Нина. Я слабо разбираюсь во всех этих наследниках второй-третьей очереди, но приходилось несколько раз присутствовать при разделе таких спорных имуществ... А есть еще такая штука, как предназначенный наследник — то есть лицо, которое наследует имущество в том случае, если наследник в силу разных причин не может вступить в права наследства... У старика — квартира в центре Москвы, да еще дача имеется и кое-какие ценности... Есть, из-за чего копья ломать!

— А ты зачем во все это вникаешь? — спросила практичная подруга. — Ты, как я уяснила, тут вовсе ни при чем и никак не заинтересована в наследстве? Зачем ты опять впутываешься в то, что тебя не касается?

Александра помедлила с ответом.

— Наверное, такой у меня дар, — произнесла она, когда Мила повторила вопрос.

Глава 8

Статью Александра окончила к утру. Она управилась бы и раньше, но ей очень мешал непривычный метод работы — она впервые писала, пользуясь ноутбуком. Это приобретение она сделала недавно и до последнего момента боялась начинать осваивать компьютер. Стас научил ее азам, об остальном она догадывалась сама, продираясь сквозь многочисленные затруднения и ошибки. Еще одним необходимым приобретением стал мобильный модем. Без выхода в интернет становилось почти невозможным следить за новостями аукционов, связываться с коллекционерами, демонстрируя им на расстоянии товар и рассматривая их предложения. Наконец у Александры появилась надежда хоть изредка опережать конкурентов, которые давно уже освоили современную технику работы.

«Почему я столько лет дарила соперникам возможность переиграть меня из-за глупой неприязни к техническим новинкам?» — спросила себя Александра, закрывая ноутбук. Она только что отправила статью в журнал и наслаждалась ощущением маленького свершившегося чуда. «Я лучше многих знаю свой предмет, быстро ориентируюсь на рынке. У меня бесценный архив на руках, наконец... Такие сведения о московских коллекционерах, каких нет больше ни у кого, включая полицию и налоговую инспекцию! И я уступала продажи людям, которые лицом к лицу не могли бы со мной конкурировать! Просто потому, что они меня опережали! Но теперь с этим покончено!»

Она мечтала оцифровать архив, который подарила ей покойная ныне подруга. Альбина, некогда владевшая антикварным магазином, после разорения, тяжело заболев и почти не покидая квартиры, кормилась тем, что ей удавалось покупать и продавать благодаря обширным старым связям. Александра в то время была «ногами» подруги и оставалась с нею до конца. Альбина передала ей в наследство свой уникальный архив — большой старый чемодан с обитыми латунью углами, наполненный тетрадями, записными книжками и карточками. Там содержались самые подробные сведения обо всех когда-либо проведенных ею сделках. Так как Альбина была одним из старейших торговцев антиквариатом в Москве, сведения подчас могли попадаться удивительные. Она заносила в свои тетради все вкусы владельца коллекции, указывала его предпочтения и антипатии, слабости и привычки, даже кулинарные пристрастия и тайные пороки, о которых почему-либо знала.

«В нашем деле надо понимать клиента досконально, — поучала она Александру, тогда еще неопытную. — Иной раз думаешь, вот эту-то картину я продам мгновенно, выручу за нее большие деньги, ан нет! Отличная вещь не продается, как заколдованная остается на руках, и все тут! Что такое? Не тому предлагаешь, не так, не вовремя... Все важно, каждая мелочь, малюсенькая деталь. Они же, клиенты наши, собиратели старья, все немного ненормальные, а кто-то, прости господи, и сильно не в себе... Вот, спроси психиатра — есть ли мелочи в его работе? Кто-то из-за этой мелочи на тот свет может отправиться! Я знала человека, который убил старуху из-за серебряной солонки с гербом Павла Первого. Убил и в тюрьму отправился, уже без солонки, само собой. Отсидел, вышел и продолжил собирать солонки. Раскаяния — ноль, будто вошь раздавил. Это не Раскольников, нет... Это наши с тобой клиенты! А вот представь, что солонку ему показываешь уже ты, а денег у него нет, потому что этот идиот спустил на старинную дрянь все, что имел. Иметь солонку ему тоже хочется... И не просто хочется, он себя без нее душевно мертвым чувствует и должен ее заполучить! А ты, значит, помеха на пути к блаженству... Такие дела, моя дорогая! Делай выводы. Учись!»

Уже совсем рассвело. Художница прошлась по мастерской, открыла окошко, выключила лампу, горевшую всю ночь. Мансарду наполнил молочный голубоватый свет. Порывшись в сумке, Александра достала «поляроид» и снимки, сделанные в мастерской Стаса в день его отъезда.

Два оказались вполне удачными: можно было рассмотреть детали рельефа. Подойдя к окну, художница поднесла фотографии к свету.

О нише она думала непрерывно, даже в то время, пока писала статью. То казалось, что вопрос, который ее мучает, ничтожен, проблемы вовсе нет. «Мила все узнает об Иване, она дотошная, твердо обещала, так нечего ломать голову!» То Александра думала, что случайностей в этой истории не может быть, уж слишком многое наводило ее на эту мысль.

«С чем спорить невозможно, так это с надписью на старом фото ниши. "Алтарь тристана". Это алтарь скорби, как следует из слов самой Ирины. Она ясно сказала Стасу, что ниша для давно умершего человека... И добавила, что это для ее мужа. Но должны иметься в виду два разных человека. Ниша сделана давным-давно. Об Иване ничего не известно толком всего два года. Ниша не могла быть сделана в его память давно умершей матерью, в любом случае... Ирина имела в виду, что ее восстанавливают в интересах супруга... Конечно, это... Но... Если «тристан» — это имя, второпях написанное со строчной буквы? Кто таков этот Тристан и что он значил для покойной женщины? И для Гдынского, вероятно, раз он выбрал для испытания именно эту нишу! Да что я, собственно, прицепилась к этому загадочному имени?!»

Она с досадой швырнула снимки на подоконник, уже залитый первыми солнечными лучами.

«Какое имеет значение, в чью честь сделана ниша и как его звали, того покойника? Пусть Тристаном! Понятно же, что это не одно лицо с Иваном! Важно другое — жив ли Иван и что ему на самом деле мешает приехать!»

Вчера, расставаясь с Гдынским, она дала ему свой телефон и записала номер Нины. Звонить самому Гдынскому смысла не имело, но старик уверил ее, что родственница в курсе всех событий. Несмотря на то что он невысоко ценил ее заслуги и явно понимал, что Нина в своих порывах не бескорыстна, все же доверял ей как единственному близкому человеку.

Взглянув на часы, Александра набрала номер Нины. Сонный недовольный голос, раздавшийся в трубке, внушил ей опасения, что она разбудила собеседницу. Та была крайне неприветлива, узнав, кто звонит, и грубо осведомилась, откуда у Александры этот номер и в чем, собственно, дело?

— Номер мне дал Виктор Андреевич, — ответила художница, — вчера, при нашей встрече. Он вам разве не сказал, что мы встречались?

— Нет, — после краткой паузы, совсем другим тоном откликнулась Нина. — Он мне не звонил. Я-то ему по понятным причинам тоже не звоню, говорить он не сможет. Так вы к нему заходили? Зачем?

— У меня появилась идея, как узнать о судьбе Ивана. Одна подруга в Париже взялась это сделать в ближайшее время. Она уверена, что сумеет найти его следы в театре, если он, конечно, все еще там работает.

На этот раз пауза затянулась надолго. Нина не издавала ни звука, и Александре показалось даже, что связь прервалась. Однако, стоило окликнуть собеседницу, та немедленно ответила:

— Я здесь, просто думаю... А эта ваша подруга не напугает его? Он ведь работает нелегально, может, и говорить с ней не станет. Когда она туда собирается?

— Точно не знаю, она обещала не тянуть, — ответила Александра.

Художница была озадачена тем, что новость не вызвала у Нины никакой радости. Более того, она все явственнее слышала звучавшие в голосе собеседницы скептические нотки.

А та продолжала:

— Вы думаете, мы не пытались его найти? Сделали все, что смогли. Однажды его приятель поехал в Париж, так я чуть не на коленях умоляла парня сходить в театр. Но Иван как раз был с труппой на гастролях, и ничего не вышло. И потом, не очень они там разговорчивые, ведь у него документы не в порядке. Ваша подруга ничего не узнает!

— По-моему, вы сами не очень заинтересованы в том, чтобы его найти! — не выдержав, в сердцах заявила Александра. — Мне, чужому человеку, и то больно смотреть, как мучается ваш несчастный родственник! А может, это как раз потому, что я чужая и мне нечего ждать наследства?!

Едва произнеся эти слова, она уже пожалела об этом, но Нина, вопреки ожиданиям, не обиделась, а вполне дружелюбно ответила:

— Бросьте вы, мне для себя ничего не нужно, я стараюсь для Ивана! Все будет оформлено так, что через меня достанется ему, если только он жив! Главное, чтобы не ей!

— Главное, по-моему, сделать так, чтобы отец успел убедиться в том, что сын жив! — возразила Александра. — Виктор Андреевич болен, уже слаб. Наследство так или иначе вы успеете разделить. А вот увидеть сына он может не успеть!

— И что вы предлагаете? — Голос Нины сделался необыкновенно серьезным. — Ваша подруга найдет его в Париже, выкрадет и привезет контрабандой в Москву? А если он сам не захочет ехать? Об этом вы не подумали?

— Он знает, что отец болен?

— Со слов Иры — знает. Но она может и врать, что передала!

Александра молчаливо согласилась с этим предположением. Она уже успела убедиться в том, что Ирина готова на все, чтобы испортить жизнь неприветливому свекру и его родственнице. «Могла и не передавать всей правды... Могла искажать факты. Если человека довести, он сделает такое, о чем потом всю жизнь, до самой смерти, будет жалеть...»

Вслух же она произнесла:

— Обойдемся и без контрабанды. Личная встреча отца и сына необязательна, а если там еще и с документами проблемы, невозможно сделать все быстро. Они могут увидеться более простым способом. Техника сейчас...

— Техника тут ни при чем... — насмешливо перебила Нина. — Вы меня не слышали, кажется? Я же вам говорю, Иван может вовсе не рваться утешать отца. У него есть на то причины.

— Какие же? — недоуменно спросила художница.

— Они в ссоре, — охотно сообщила Нина. — Расстались почти врагами. Пока я поддерживала между ними связь, общались кое-как, сквозь зубы. А какие там взаимные приветы передает Ирина, этого я не знаю.

— Почему же они поссорились?

— Да как раз из-за этого самого театра... Отец был недоволен, сын туда рвался. Нашла коса на камень...

— Но неужели нельзя помириться?

— А кто из них сделает первый шаг? — язвительно ответила женщина. — Нет, они оба уперлись, на одну колодку сделаны, и отец, и сын. Когда Господь раздавал людям терпение, оба в очередь не становились, зато их мать, моя сестра покойная, стояла три раза, видно, за себя и за них...

— Она умерла молодой?

— Совсем молоденькой, — тяжело вздохнула Нина. — Ей было двадцать четыре всего. Ваня осиротел, когда ему не исполнилось и двух лет... Муж-то ее намного старше, на двадцать лет. Иногда ночью лежу на боку, подсчитываю. Сейчас мне пятьдесят, Маше было бы пятьдесят два... И вся жизнь еще была бы впереди. Виктор сам еще не так уж стар, просто болезни одолели, вот он и одряхлел. Собственно, с тех пор, как Маша вдруг умерла, так рано, он и сам уже почти не жил... Тянул лямку. Любил он ее, конечно, необыкновенно!

— А кто такой Тристан? — наобум задала вопрос Александра.

На сей раз Нина молчала почти минуту. Художница уже жалела, что спросила, обманувшись неожиданной словоохотливостью собеседницы. Но Нина все-таки ответила. Ее голос звучал недоуменно:

— То есть? Кто это такой вообще?

— Вы не знаете?!

Александра почти обрадовалась, услышав такой ответ. Она сама едва понимала, хотела ли узнать правду. Как всегда, ее больше истины привлекала загадка.

— Не знаю, впервые слышу, — раздалось тем временем в трубке. — А какое отношение он имеет к Маше?

Александра поспешила заверить:

— Никакого, я задумалась и сказала не то, что хотела. А вот о чем действительно мне нужно спросить... Нина, ваша сестра часто бывала в Москве? Я знаю, что она скончалась здесь, после того как они с мужем приехали из Свердловска, но меня интересует более раннее время!

— Да она родилась и выросла в Москве, — с улыбкой в голосе ответила Нина. — Мы с нею коренные москвички. Она встретила Виктора, скоропостижно вышла замуж, уехала с ним на Урал, потому что он не мог бросить там работу в театре. Она ради него учебу фактически оставила, взяла академгод. Ну а потом они с ребенком вернулись сюда, в родительскую квартиру.

— Так эта квартира, в Кривоколенном переулке, принадлежала Марии?

— Да, — со вздохом признала Нина. — И квартира, и дача достались ей, мне — комната на окраине. Так вышло... Наши родители были зациклены на драгоценном внуке и устроили так, чтобы все досталось ему. А почему вы спрашиваете?

Ее тон внезапно изменился, сделался настороженным, словно женщина вдруг осознала, что слишком разоткровенничалась с чужим человеком. Александра поспешила извиниться:

— Я понимаю, что вторгаюсь в ваши семейные дела, но раз уж так получилось и я взялась отыскать Ивана, кое-какие вопросы у меня возникают... Случайные, нелепые иногда. Скажите, а Мария не посещала храм Святого Людовика на Малой Лубянке? Вы ведь жили в двух шагах от него... Буквально пара переулков, Мясницкую пересечь...

— Ничего об этом не знаю. — Голос Нины сделался суровым и ледяным. — Вы правда задаете какие-то странные вопросы. С потолка вы их берете, что ли?! У меня даже появляются сомнения, в своем ли я уме, что отвечаю на них! Конечно, очень трогательно, что вы хотите скрасить жизнь Виктору, но что-то мне сдается, цель у вас другая!

— Погодите... — несмело попыталась возразить Александра, но Нина, повысив голос, перебила ее:

— Вам просто интересно покопаться в чужой жизни! Потому и вмешиваетесь! Таких доброхотов знаете сколько?! Только бы посплетничать на наш счет! С тех пор как Ирина приехала и соседи случайно узнали, где она работала там, в Париже, нам жизни нет! Была порядочная семья, жили тихо, никто на нас внимания не обращал, и вдруг всем стало интересно, что у нас да как! Вот что я скажу, дорогая моя, не затрудняйтесь поисками, оставьте Виктора в покое! И меня заодно, не звоните больше!

Соединение прервалось. Александра, оторопевшая от внезапно налетевшей бури, была сама не своя. Ее мучило острое чувство вины, словно она допустила непростительную ошибку, но в чем ошибка заключалась, художница понять не могла. Доброжелательное течение разговора подобного оборота не предвещало, Нина была даже слишком откровенна, на ее взгляд. «И вдруг словно дамба прорвалась — такой выплеск черной злобы, будто я ее смертельно оскорбила... Что случилось?»

Вместе с недоумением росла обида. Перезванивать и требовать объяснений Александра не собиралась. Она чувствовала, что причина гнева собеседницы совсем не та, которую назвала Нина. Объясняться в данном случае было бесполезно.

«Сперва разговорилась, сообщила интимные подробности о семейных дрязгах, а я ведь ее за язык не тянула! И внезапно взорвалась... Сразу, как я спросила о храме Святого Людовика! Больше ничто такой реакции не вызвало — ни квартирный вопрос, ни сообщение, что Ивана попробуют найти. В том, что Нина впервые слышала имя Тристан применительно к сестре, кажется, она и впрямь не лгала. Но стоило упомянуть о церкви...»

Теперь Александра была убеждена, что некая таинственная связь между происхождением ниши и церковью есть. «Был ли "тристан" на самом деле Тристаном, сыном Святого Людовика, о котором в церкви даже упоминания нельзя найти, неизвестно. Но Марию я уже нашла, она уже есть — автор ниши и Богоматерь на ослике, спешащая вместе со своим сыном и мужем прочь из города, где ребенку грозит гибель! Скульпторша, изображавшая такой сюжет, явно имела в виду саму себя! Здесь очевидная связь, и я нашла ее! Значит, найду остальные и покончу с недосказанностью, которая окружает всю эту историю! И даже знаю, кто мне поможет!»

Александра больше не вспоминала, что провела ночь без сна за написанием статьи, не чувствовала усталости. Снова взяв телефон, она набрала номер Игоря.

Скульптор ответил сразу, словно был наготове.

— Почти, почти готова твоя ниша, только отполирую и лаком покрою, — торопливо произнес он. — Обещал же завтра сдать! Или клиентка заторопилась? Пусть определится уже, срочно ей или нет...

— Клиентка подождет, — успокоила его Александра. — А вот тот клиент, для которого ты делаешь эскиз алтаря, Георгий, — у тебя ведь есть его телефон? Не мог бы ты мне его дать?

— Зачем? — мгновенно насторожился скульптор.

— Не бойся, заказчика я у тебя уводить не собираюсь, — рассмеялась женщина. — Что за идея... Просто мне хочется задать ему один вопрос касательно церковных дел. Он, кажется, специалист в этом!

— Да кто знает, — усомнился Игорь, искренне или делано. — Вроде очень набожный. Знаешь, телефон я тебе, конечно, дам, но это только из личного уважения... И теплого отношения, если угодно! Сколько у меня клиентов из-под носа увели, узнав телефончик, адресок! И кто уводил — лучшие друзья, люди, которым я доверял!

— Брось, я никого не уведу, сама не ваяю, как ты знаешь, а Стас уехал, — усмехнулась Александра, которую очень забавляла борьба, происходившая в душе собеседника. Игорь боялся потерять заказ и одновременно не желал утратить ее расположение. — Давай телефон, о твоей работе не будет сказано ни слова.

— А о чем ты собираешься его спросить? — сдаваясь, осведомился Игорь.

— Это чисто богословский вопрос!

Против своей воли Александра произнесла эти слова очень серьезно. Собеседник издал странный звук, похожий на всхлип. Художница забеспокоилась:

— Ты что? Плачешь?

— Смеюсь... Ты и богословие... Пиши телефон...

Продиктовав номер, Игорь поинтересовался, увидятся ли они завтра.

— Я приду в церковь в полдень, принесу новый эскиз. И ты отлично могла бы задать свой благочестивый вопрос Георгию завтра! Не помню, кстати, чтобы я называл тебе его имя!

Александра намеренно пропустила последнее замечание мимо ушей и сказала, что можно и увидеться, отчего же нет.

— А ждать я не хочу, — заметила она напоследок. — Дело спешное.

— Вопрос жизни и смерти? — иронически уточнил собеседник.

«Можно и так сказать! — подумала она, попрощавшись и положив на стол замолчавший телефон. — Но... чьей жизни и чьей смерти?» Ее саму поразила странность этого вопроса, но она не могла поставить его иначе. То ей казалось, что Нина права в своих подозрениях и ее племянника нет в живых, а старик стал жертвой аферистки, в чьих интересах утаить истину. То Александра говорила себе, что многое в рассказе Ирины могло быть правдой.

«Надеюсь, Мила поторопится!»

За дверью раздалось отрывистое, настойчивое мяуканье, по железному листу обшивки проскрежетали когти. Вернулась Цирцея, трое суток пропадавшая неведомо где. Художница отворила, и кошка, мимоходом боднув лбом ее ногу, проскользнула в мансарду. Направилась к миске, но, найдя ее пустой, уселась и с демонстративным безразличием умылась. Цирцея любила показать, что не очень заинтересована в опеке, с чисто женским умением маскируя свои истинные цели.

— Если бы я всегда с таким самодовольным видом приступала к важному делу, я бы горя не знала! — заметила художница, доставая из ящика стола пакет с остатками сухого корма и вытряхивая содержимое в миску. — Никогда мне не удается скрыть свою заинтересованность, это меня подводит. Продавцы заламывают цены, покупатели торгуются... Надо бы мне поучиться у тебя делать хорошую мину при плохой игре!

Цирцея, внимательно следившая за тем, как кусочки корма ударялись о дно миски, перевела на хозяйку взгляд суженных зеленых глаз и, широко раскрыв пасть, зевнула, показав бледное ребристое нёбо. Вслед за тем, потянувшись, принялась за еду.

Александра, вновь отойдя к окну и взяв снимки ниши, колебалась. У нее все еще было ощущение, что она решается на лишний поступок, смысла которого даже сама не может толком обосновать.

«Мила и так узнает все, что можно узнать об Иване. Она рядом с ним, в Париже. Что могу узнать я, сидя в Москве? Я знаю лишь, что Мария сделала незадолго до своей смерти нишу с "Бегством в Египет", назвав ее отчего-то "алтарем тристана". Если в знак своей скорби, то по кому? Если в честь человека, носившего это имя, то кто он такой? С этой нишей у Гдынских, судя по всему, связано многое, раз именно она стала камнем преткновения... Уничтоженная якобы много лет назад, она должна была воскреснуть, чтобы объединить отца и сына...»

Облокотившись на узкий подоконник, залитый солнцем, художница набрала номер Георгия.

Когда мужчина наконец ответил, его голос заглушался многочисленными помехами, создающими металлическое эхо.

— Я на вокзале, — тут же пояснил он причину окружавшего его шума. — В кассах.

— Вы уезжаете?! — воскликнула женщина. — А я надеялась увидеться...

— Пока только беру билет, — успокоил ее Георгий. — На завтра. У вас что-то случилось?

— Ничего особенного, но... Мне хотелось кое-что узнать, а так я как полный профан в этом деле, надеялась спросить у вас. Скажите, можно выяснить, посещал ли некий человек когда-то церковь? Например, храм Святого Людовика? Имел ли отношение к приходу? Это было очень давно!

Георгий ответил немедленно:

— Нет ничего проще! Существуют ведь приходские книги, они хранятся практически вечно. Если человек был крещен в этом приходе, совершал прочие таинства — вступал в брак, к примеру, крестил детей, обо всем делаются записи.

— И я могу просто пойти и спросить у священника? — обрадовалась Александра.

— Вне всяких сомнений! — заверил ее Георгий. — Главное, знать имя и возраст того человека.

— Ну, это-то я знаю, — с облегчением выдохнула художница. — Вот верите ли, множество вещей мне приходилось отыскивать в жизни и к священникам за помощью я на своем веку несколько раз обращалась — за советом, за консультацией. Но наводить справки в приходских книгах еще не доводилось!

— Желаю удачи! — серьезно произнес мужчина. — Если вы завтра придете на мессу, я тоже надеюсь там быть. Да и ваш знакомый скульптор обещал появиться.

Александра заверила его, что Игорь трудится в поте лица, рассчитывая на этот раз угодить заказчику, и уже собиралась проститься, когда Георгий спросил:

— А кого именно вы ищете в этом приходе? Вдруг я его знаю? Так вышло, что я знаю многих.

— Дело в том, что я сама толком не знаю, кого ищу... — машинально проговорила Александра и, услышав в трубке недоуменное молчание, встрепенувшись, поправилась: — То есть не кого, а — зачем?

— Так бывает, — после паузы ответил Георгий. — Ну, надеюсь, вы найдете, что ищете...

Молоденькая смуглая нищенка, сидевшая у калитки, ведущей в церковный двор, протянула Александре сложенную ковшиком руку:

— С праздничком!

— А какой сегодня праздник? — спросила художница, доставая из кармана мелочь.

Цыганка уклончиво улыбнулась. К Александре ощипанным воробьем подлетел маленький цыганенок и тоже сунул ладошку:

— С праздником!

Она дала ему несколько монеток и помедлила у входа в церковь. Боковой вход был открыт. Войдя, Александра обнаружила, что угодила на венчание.

Передние скамейки были заняты гостями. Жених и невеста в сопровождении свидетелей стояли у алтаря и по очереди зачитывали что-то из раскрытой книги, которую держал перед ними священник. Александра решила подождать окончания церемонии снаружи.

Усевшись во дворе на скамью под большой голубой елью, полускрытая ее широкими лапами от посторонних глаз, она рассеянно глядела на лужи, разлившиеся по двору, на окружавшие храм высокие здания, залитые теплеющим к вечеру розоватым светом. Зрелище свадеб, в равной степени церковных или светских, наводило на художницу грусть. Она не завидовала новобрачным, равно как и не предвидела в их будущем ничего печального, что могло бы ее расстроить... Но ей вспоминались скромные картины собственных двух свадеб. Первый брак, заключенный по любви, закончился цепью обманов, ссор и, наконец, разводом. Второй, в который она вступила больше из жалости к спивающемуся, когда-то талантливому художнику, после которого и унаследовала мастерскую, был тягостен, как неотвязная болезнь, и завершился смертью мужа.

«Третьему разу не бывать! — спокойно говорила она себе, глядя на воробьев, скачущих между луж, на цыганенка, самозабвенно отплясывающего в солнечном луче. — Разве что внезапная большая любовь посетит?»

Художница невольно улыбнулась. Никого из своих нынешних знакомых она не могла бы назвать возможным претендентом на свое сердце. Со всеми ее связывали либо деловые, либо творческие, либо дружеские отношения. Когда Александра ловила на себе заинтересованный взгляд знакомого мужчины, то воспринимала это как смешное недоразумение. «К чему эта комедия? — говорила она себе. — Игра сыграна. В сорок три года пора жить по-настоящему, а не примериваться к жизни, не репетировать ее. Надо все принять таким, как есть. Ошибки только твои, и успехи, пусть малые, тоже принадлежат тебе. А если почаще вспоминать о том, что ничто не длится вечно, ни радость, ни горе, то жизнь становится легка!»

На площадке под портиком храма появились выходившие гости. Первым пятился оператор, снимавший церемонию, за ним следовали родственники и друзья. Жених и невеста, усталые и сконфуженные, ступали медленно, скованно, позируя для съемки. Дождавшись, пока свадьба спустится с лестницы, Александра встала и направилась в церковь.

В храме оставалось всего несколько человек, усевшихся неподалеку от исповедальни. Из ризницы выглянул юноша в белой одежде министранта и окинул взглядом опустевшую церковь. Александра, завидев его, ускорила шаг. Молодой человек, поняв, что она надеется с ним заговорить, задержался.

— Мне нужно навести справки об одном человеке, который, возможно, был когда-то вашим прихожанином, — слегка задыхаясь, больше от волнения, чем от спешки, проговорила женщина. — Кажется, это можно сделать, сверившись с приходскими книгами?

— Такие вопросы решает священник, а он сейчас принимает исповедь, — ответил министрант, высокий юноша с впалыми, словно втянутыми щеками и острым взглядом светлых глаз. — Останьтесь, подождите.

Он повернулся было, чтобы вернуться в ризницу, но, снова обратившись к Александре, спросил:

— А кого вы ищете?

— Этот человек давно умер, — пояснила художница. — Лет тридцать назад...

— О, так это было, еще при отце Мажейко, в восьмидесятых? — Министрант поднял брови. — У нас довольно много прихожан той поры, они могли бы знать того, кого вы ищете, но сегодня я никого из них не видел. Вы обязательно подождите... Это можно узнать.

Александра провела около часа, сидя на скамейке, прямо напротив статуи Святого Людовика. Очередь к исповедальне постепенно сокращалась, но храм не пустел, живя тихой, не терпящей резких движений жизнью. К синтезатору, стоявшему возле алтарной части, подошла высокая светловолосая женщина, уселась, зябко поправив на плечах пальто, и принялась разбирать ноты, наигрывая мелодию гимна, уже знакомую художнице. Александра вновь взглянула на исповедальню и обнаружила, что из нее выходит священник — тот самый, которого она видела во время первого посещения храма.

Остановив его у входа в ризницу, художница торопливо изложила свою просьбу. Священник задумался.

— Надо сверяться с приходскими книгами, — с небольшим акцентом произнес он наконец, — и с этим нужно обратиться к настоятелю. Он будет завтра, в воскресенье. Вы спешите?

— И да... И нет, — колеблясь, ответила Александра. В порыве откровенности, к которой располагал этот смуглый улыбчивый священник, явно иностранец, она призналась: — Я ищу совершенно чужого мне человека, да и все, ради чего я это затеяла, меня совершенно не касается! Но мне это не дает покоя, я не могу все просто бросить!

Священник слушал молча, уже без улыбки, его взгляд сделался серьезным, что мгновенно добавило ему лет. Теперь он выглядел старше Александры. Женщина, запинаясь, объясняла:

— Даже не знаю точно, была ли женщина, о которой я хочу навести справку, вашей прихожанкой! Я и о ней самой почти ничего не знаю. Ее звали Мария, девичья фамилия мне неизвестна, а по мужу — Гдынская. Сейчас, как мне сказали, ей было бы пятьдесят два года, значит, родилась она в шестьдесят первом году прошлого века в Москве и жила тут, неподалеку. В двадцать два года родила сына по имени Иван, а в двадцать четыре умерла... Это все.

— И что же еще вы хотите узнать? — с нажимом на слово «еще» спросил священник.

Александра, радуясь уже тому, что не заданы вопросы «зачем?» и «почему?», поторопилась ответить:

— Я хочу знать, имела ли она какое-то отношение к храму Святого Людовика? Посещала ли его?

— Но она была католичкой?

Художница развела руками. Священник внимательно смотрел на нее, словно ожидая продолжения, и Александра, отчего-то чувствуя себя виноватой, добавила:

— Этого я как раз не знаю. Но мне важно узнать, ходила ли она сюда!

— Хорошо, — кивнул, помедлив еще секунду, священник. — Идемте в ризницу. Вы все запишите, что касается Марии, а завтра после Суммы подойдите, может, что-то выяснится.

И вновь никаких вопросов, никакого явного любопытства к тому, зачем ей понадобилось выяснять принадлежность незнакомого человека к этому храму. Александра, зайдя в ризницу, написала на листочке то немногое, что было ей известно о Марии Гдынской, и вышла из церкви.

Двор был пуст. Цыганка с ребенком исчезла, о свадьбе напоминал только рассыпанный на асфальте рис. Александра сошла по ступеням и остановилась, вдыхая легкий, пьянящий, влажный воздух бурно наступавшей на город весны.

Краем неба вдали шли грозовые темные облака, подсвеченные золотом, похожие на слонов, покрытых попонами, изукрашенными драгоценностями. Их фантастически пышный вид навевал художнице ассоциации с процессией, сопровождающей индийского раджу. Она засмотрелась на небо, провожая взглядом облачное шествие. Облака завораживали ее с тех пор, как она помнила себя. Их существование, отстраненное и все же близкое человеку, в другом измерении и все же рядом, странным образом утешало ее в трудные минуты жизни. Иногда ей достаточно было найти взглядом случайно проплывающее облако, чтобы успокоиться и унять тревогу. Александре хватало одной мысли о том, что вдали от ее невзгод и неприятностей идет эта чистая, недосягаемая для земного шума и грязи жизнь, продолжается удивительное действо, доступное каждому, кто пожелает его видеть. Облака были ее спутниками, хранителями и почти друзьями — пусть и не такими, как друзья из плоти и крови, но вполне достойными того, чтобы она иногда делилась с ними своими тайнами и сомнениями.

«Витаю в облаках, как сказала бы мама!» — Александра с улыбкой провожала взглядом огромное сизое облако, над которым развевался легкий алый балдахин, разорванный сильным ветром, дующим на немыслимой высоте. «Но что же в этом плохого, если на земле порой не за что зацепиться сердцу и душе? Земля принадлежит немногим, а небо — всем...»

Очнувшись от созерцания, она вынула из кармана куртки телефон, выключенный перед входом в церковь. Включив его, она тут же обнаружила неотвеченный вызов. «Мила, двадцать минут назад! Надо же ей было позвонить именно сейчас!» Александра набрала номер парижской подруги, но та не отвечала. С досадой опустив телефон в карман, художница направилась к калитке.

У доски объявлений, рядом с запертыми воротами, стояла женщина. Александра прошла рядом с ней, все еще погруженная в мысли о пропущенном звонке, гадая, что хотела сообщить подруга. Уже за оградой какое-то смутное чувство заставило ее обернуться. Она вновь взглянула на женщину, стоявшую перед доской все в той же неуверенной позе ученицы, не выучившей урок. Темные длинные волосы, падавшие на спину, серое пальто, клетчатый шарф, повязанный на ручку сумки, которую та прижимала локтем к боку... Все это было знакомо Александре, и понадобилось не больше секунды, чтобы понять, отчего вдруг сработал сигнал тревоги, помешавший ей беспрепятственно уйти.

Молодая женщина, державшая спину так прямо и в то же время поникшая и растерянная, была не кто иная, как Ирина. Она так ушла в свои мысли, что не заметила Александры, прошедшей в шаге от нее, и не чувствовала теперь изумленного и настороженного взгляда художницы. Она не видела и текста приходских объявлений, Александра была в этом уверена. Простояв перед доской еще с минуту, внезапно вздрогнув всем телом, молодая женщина повернулась на каблуках и походкой автомата направилась к входу в церковь. Художница следила за ней, пока та не скрылась под портиком храма.

Глава 9

«Что за притча? Зачем она здесь?» Александра посторонилась, пропуская школьников, выходивших из французского лицея, торцом глядевшего на храм. Подростки оглушительно хохотали и норовили хлопнуть друг друга рюкзаками пониже спины. Глядя на них, художница вспомнила о звонке Милы, вновь повторила попытку дозвониться подруге, и с прежним результатом — телефон не отвечал. «Наверное, она выключила звонок... Но что здесь понадобилось Ирине?»

Александра твердила себе, что нужно немедленно вернуться домой и заняться делом — ждала работа, пусть не срочная и не самая занимательная, всего лишь реставрация заурядного натюрморта неизвестного автора. Но из таких небольших заказов складывался в последнее время весь ее скромный бюджет. Зарабатывать на перепродаже картин и антиквариата ей случилось все реже, и художница сама хорошо понимала причину своих неудач.

«Меня всегда больше интересует предмет торга, чем сам торг, если на то пошло. И даже часто не предмет, а его владелец! Так дела не делаются. Альбина всегда упрекала меня за то, что я слишком увлекаюсь и упускаю выгоду. И правда, если мне случалось крупно зарабатывать на сделках, это были случайности... Но ведь, с другой стороны, у меня никогда и не было страстного желания разбогатеть! Хватало бы на жизнь, на прокорм себе и кошке, на самые простые нужды... На книги и материалы для работы, наконец. А уж поездки заказчики оплачивают сами, только где они теперь, эти заказчики... Надо бы кое с кем созвониться, напомнить о себе...»

Но, вместо того чтобы отправиться домой, она вернулась в церковный двор. Александра твердила себе, что ничего странного в появлении молодой женщины здесь нет. Она ничего не знала о вероисповедании заказчицы, о степени ее религиозности, да, в конце концов, Ирина могла прийти сюда по чьему-то поручению.

«Например, ее свекор очень болен и считает, что доживает последние дни! Помнится, Ирина при первой встрече говорила, что он не надеется прожить дольше десятого апреля, потому что именно этого числа умерла его жена. Сегодня шестое... Может быть, ему стало хуже и она пошла за священником? Если связь с храмом у этой семьи все же была, такая версия вполне вероятна!»

Во двор то и дело входили люди. Просмотрев расписание, Александра убедилась, что вскоре начнется вечерняя служба. Ирины среди прихожан, ожидавших начала мессы снаружи храма, не было. Преодолев внутреннее сопротивление, художница поднялась по ступеням.

Ирину она увидела сразу. Та стояла возле серой мраморной чаши со святой водой, неподалеку от входа, но не окунала пальцы, не крестилась, подобно другим, проходящим мимо людям, а, казалось, о чем-то напряженно думала. Александра осторожно приблизилась и теперь хорошо различала профиль молодой женщины — упрямо сжатые губы, нахмуренный лоб. Наконец, тряхнув головой, откинув волосы за спину, Ирина двинулась по центральному проходу. Она не преклонила колено, подобно другим прихожанам, а прямо направилась к ризнице. Александра присела на край одной из последних скамей, не сводя взгляда с дверей ризницы, в которых скрылась молодая женщина.

Ирина отсутствовала долго. За синтезатором уже выстроился небольшой хор, состоящий из молодых девушек. Одна из них держала на руках крошечного младенца, такого же, какого держал на руках Антоний Падуанский, под статуей которого умостился хор. Передние скамьи были почти целиком заняты, храм наполнялся.

Александра припомнила, что вечерняя субботняя месса заменяет воскресную Сумму тем, кто по каким-то причинам не может ее посетить. Она вспомнила о своих итальянских друзьях, живущих в Пьемонте. «Что бы они сказали, увидев такое благочестивое рвение здесь, в Москве? Они-то мне говорили, что у них в церковь перестали ходить даже старухи, а уж молодежь туда вилами не загонишь. И священников не хватает, нет желающих связывать свою жизнь с целибатом и прочими радостями, служить в пустой холодной церкви, тянуть лямку в ожидании Царствия Небесного... Приход в их городке вроде собирались упразднять за ненадобностью — кому он нужен, если пару раз в год, на Рождество и на Пасху, особо благочестивые граждане коммуны могут съездить в соседний город? А в Москве, нате вам, церковь не пустеет!»

Ирина появилась из ризницы почти одновременно со священником. Она сошла в зал и свернула в придел Девы Марии. Александра, сидя на своем месте, потеряла ее из виду. Боясь, чтобы молодая женщина не ушла незаметно, она встала и, отойдя за колонны, замыкавшие последний ряд скамеек, стала ждать. Что-то ей подсказывало, что Ирина явилась сюда не ради вечерней службы, и она оказалась права — молодая женщина, не перекрестившись, не преклонив на прощание колено перед алтарем, быстро прошла мимо нее к выходу. Александра поспешила за ней.

Она настигла Ирину на крыльце. Следить за ней художнице претило, Александра предпочитала выяснить волновавший ее вопрос прямо. Тронув Ирину за рукав, она услышала испуганный вскрик. Молодая женщина замерла, словно остолбенев, затем резко повернулась. Ее бледное лицо было искажено нервной гримасой. При виде Александры в глазах женщины мелькнула злость.

— Вы? — спросила она, немедленно взяв себя в руки, уже вполне спокойно. — Что вы здесь делаете?

— Так, заходила кое-что узнать, — ответила художница. — А вы, значит, католичка?

— Вовсе нет. — Отвернувшись, Ирина стала спускаться по ступеням. Каждый шаг она делала после небольшой паузы, словно обдумывая некую краткую мысль. Ступив на землю, она вновь обернулась и спросила: — Так и вы не прихожанка этой церкви.

— Я вообще посещаю церкви случайно или по работе. — Поравнявшись с нею, Александра постаралась принять непринужденный тон. Она видела, что молодая женщина очень подавлена и с трудом сохраняет равнодушный вид. — Здесь мне нужно было навести одну справку.

— И как? Успешно?

— Сказали подождать до завтра.

— Мне тоже... — Ирина передернула плечами. — Этот священник так странно на меня посмотрел, когда я к нему обратилась... Будто я что-то не то сказала. Я ведь, честно говоря, совсем не знаю, как себя вести в церкви, что говорить, понятия не имею. Наверное, ляпнула что-то. Ну, мне домой, к старику.

— Мне с вами по пути. — Александра подстроилась под ее шаг.

У нее возникло ощущение, что на этот раз Ирина вовсе не торопится от нее избавиться, как во время прошлой встречи. Молодая женщина явно находилась в замешательстве. Она шла медленно, глубоко погрузившись в свои мысли, покачивая головой, словно безмолвно кому-то возражая. И вдруг опять остановилась:

— Скажите, а вы верите в родовое проклятие?

Вопрос был таким неожиданным, что Александра от растерянности улыбнулась. Торопливо приняв серьезный вид, она искренне ответила:

— Нет!

— Только-то? — пробормотала Ирина, явно не удовлетворенная ответом. — А почему?

— Если бы вы уточнили, что именно имеется в виду, я бы, наверное, могла дать более развернутую формулировку. Скажу только, что у всех якобы «проклятий», с которыми мне доводилось иметь дело на своем веку, была какая-то вполне реальная подоплека. Ненависть родственников, конфликт интересов... Мало ли что еще бывает в семье? В проклятие как таковое, в порчу, сглаз, кровоточащие фамильные портреты и призраков я не верю совершенно.

— Родственные отношения тоже могут быть проклятием, — заметила Ирина.

— Еще как! — согласилась заинтригованная художница. Пользуясь словоохотливостью собеседницы, она осторожно поинтересовалась: — Как себя чувствует ваш свекор?

— Скверно, — сквозь зубы процедила та. И вдруг, словно прорвало плотину, гневно выплеснула: — Вот увидите, когда он умрет, во всем обвинят меня! Скажут, что я свела его в могилу своим якобы грубым обращением! Да уже и сейчас говорят! А видит бог, чего я только от него не терплю! С собакой лучше обращаются! С паршивой бездомной собакой! Ни одного доброго слова он для меня за эти годы не нашел, а сколько я для него делала, сколько мучилась с ним...

— Кто же вас упрекнет?

— Кто... Все! — Ирина с досадой отмахнулась. — Нина первая, все соседи... И, наверное, даже Иван! Бывают ситуации, когда все поголовно виноваты, но признавать этого не хочет никто, и вот удача — появляется кто-то крайний, на кого можно абсолютно все свалить! Кто-то чужой, кого никому не жалко! И это буду я!

— Сочувствую... — Александра посторонилась, пропуская прохожего. Они с Ириной перекрыли узкий тротуар. — Тяжело выносить такое отношение к себе, да еще когда никто не поддерживает. А ваш супруг так и не планирует приехать? Надо же как-то разорвать этот порочный круг с визой...

— Мой супруг изобретает новые отговорки, чтобы не ехать в Москву, а устраивать свои дела моими руками! — со злобой ответила Ирина. — И я уже начинаю думать, что он просто всем нам морочит голову!

— То есть? — с замиранием сердца уточнила художница. — Вы считаете, он совсем не собирается возвращаться?

— Я считаю, он кого-то там себе нашел! — резко, на выдохе, произнесла Ирина и осеклась, словно вспомнив, что говорит с малознакомым человеком. На ее лице появилось растерянное выражение, она бегло взглянула на Александру, проверяя ее реакцию, и отвела глаза.

Художница, помедлив, проговорила:

— Стоит ли гадать? Когда появляются подозрения, лучше объясниться прямо.

Ирина, все еще заметно смущенная, отмахнулась:

— Есть люди, которые прямыми путями не ходят! Вся наша семейка такая...

— Помните, — Александра решила воспользоваться тем, что собеседница упомянула семью мужа, — вы во время нашей первой встречи сказали, что мать Ивана не была религиозной. Но тем не менее нишу она создала на известнейший религиозный сюжет. Такие вещи на пустом месте не рождаются... Она ведь была, наверное, крещена? Муж или свекор вам ничего об этом не говорили?

Молодая женщина вопросительно подняла брови:

— Вот уж чего мы никогда не обсуждали, так это всякие церковные подробности... Но вы, как нарочно, спрашиваете о том, чем я сейчас занялась. Свекор-то со мной лишнего слова не скажет, но Иван вдруг захотел, чтобы я сходила в эту церковь и навела кое-какие справки...

— Его мать, стало быть, была крещена в Святом Людовике?

— Она была католичкой, это единственное, что он знает, отец как-то случайно обмолвился, — пояснила Ирина. — Виктор Андреевич сам совсем не религиозен, точно я о его взглядах ничего не знаю, но, думаю, он атеист. Иван сказал, что раз мать родилась в этом районе и была крещена в католичество, то это могло быть только в этой церкви, в советское время в Москве работал только один католический храм. Вон он и послал меня сюда.

Заговорившись, они вновь перегородили тротуар и вынуждены были отступить к стене ближнего особняка, чтобы пропустить очередную группу молодежи, спешившей из лицея. Ирина провела рукой по лбу, словно пытаясь унять головокружение. Она была очень бледна, и мелкий нервный тик щеки стал особенно заметен.

— Зачем ему это? — будто про себя проговорила она, не глядя на Александру, молча стоявшую рядом. — Какие-то лишние подробности... Понадобилось узнать, когда он был крещен, видите ли...

— Значит, Иван тоже был крещен здесь?

— Неизвестно! — Женщина развела руками. — Он родился, когда родители жили на Урале, его привезли в Москву уже в полтора года. Иван не уверен, крестили его или нет, и ему вдруг стало чрезвычайно важно это узнать! Отец не удосужился ему сообщить за столько лет, вот он и гоняет меня!

Ирина говорила с досадой, покусывая потрескавшиеся губы. Вид у нее был измученный, больной.

— Вот я и просила навести справки... Ума не приложу, зачем?! Зачем ему это потребовалось?! Может, он венчаться там собрался, во Франции?!

— Ах, вот почему вы подумали, что муж вам неверен! — кивнула Александра, не сдержав улыбки. — Ну, уверяю вас, это еще ничего не доказывает. Некоторым людям с годами становится важно знать вещи, о которых они в молодости и не задумывались.

— У него отец на ладан дышит, а он справляется о такой ерунде! — проворчала Ирина.

Они вновь двинулись по переулку. Александра шла рядом, приноравливаясь к шагу спутницы, и обдумывала услышанное. «Она так искренне расстроена тем, что муж не желает приезжать... Ревнует, еле в руках себя держит. Неужели это может быть игрой, как утверждает Нина? Да и зачем Ирине играть передо мной? Она меня едва замечает, настолько ей сейчас не по себе. Я лицо незаинтересованное, мне можно все сказать... Но она при этом не говорит ничего крамольного и никак нельзя сделать вывод, что Иван мертв!»

— Представьте, священник спросил, не нотариус ли я! — после паузы вдруг выпалила Ирина. — А вы о ком узнавали?

— О случайном знакомом, — помедлив, ответила Александра. Ее мысли витали вокруг короткого разговора, состоявшегося только что в ризнице. Священник, прочитав все, что она записала на бумажке касательно разыскиваемой Марии Гдынской, задал только один вопрос:

— Дело касается наследства?

Его черные непроницаемые глаза смотрели прямо на нее, взгляд был одновременно кротким и твердым. Александра, замешкавшись, пробормотала, что покойная женщина была скульптором, она же заинтересовалась ее работой и потому нуждается в сведениях о ней. Ей казалось, священник сразу почувствовал, что она кривит душой.

— Многие приходят к ним наводить справки изза наследства, я думаю, — добавила художница, помолчав. Они уже шли по Мясницкой, и близился момент, когда им предстояло распрощаться. Александра все замедляла шаги. — Но неужели Иван остался равнодушен к тому, что отцу намного хуже? Теперь-то медлить с приездом нельзя!

— Я уже ничего не понимаю! — призналась Ирина. Она приняла доверительный тон, которого художница никогда у нее не слышала. — Раньше мне казалось, он все-таки привязан к отцу. О чем речь, ведь он расстался со мной, когда мы не прожили вместе и года, чтобы отец был под присмотром! А теперь, во время последнего разговора, мне показалось...

Она запнулась, и Александра осторожно ее подбодрила:

— Что же именно?

— Иван совсем стал к нему безразличен, — призналась Ирина. — Он говорит о нем, как о постороннем человеке. Я даже не пытаюсь больше его просить все бросить и приехать, это бесполезно. Мне кажется, он забыл все здешние привязанности... И меня тоже забыл! У него даже голос стал другой!

В ее глазах показались накипевшие, но не пролившиеся слезы. Александра, невольно поддавшись порыву сострадания, взяла ее узкую подрагивающую руку. Ладонь оказалась влажной.

— Надо непременно настоять на том, чтобы ваш муж приехал! — сказала Александра. — Тогда все недоразумения будут разрешены.

— Легко говорить... — Ирина рывком высвободила руку. — С каждым днем все становится только сложнее! Когда он отправлял меня сюда, то был совсем другим! Я просто его не узнаю... Это Иван сейчас должен быть здесь, со своим отцом, а я должна быть в Париже — работать, танцевать... Он стал чужим, озлобленным... С ним невозможно говорить.

Остановившись, молодая женщина закрыла ладонями лицо и несколько секунд не двигалась. Затем убрала руки и прямо взглянула на Александру:

— Ваши советы очень хороши, но... Советы давать легко!

— Завтра будет готова ниша, — после краткой паузы напомнила художница. — Я знаю, что смысл ее изготовления уже потерян... Но вы намеревались все равно ее забрать.

— Заберу, конечно, — устало ответила Ирина. — Я уж, видно, обречена исполнять все капризы этой семейки... Адрес вы знаете, пусть ее пришлют прямо на квартиру, там и рассчитаюсь. Только во всем этом нет никакого смысла! Никакого!

Сделав отрицательный жест, словно отсекавший возможный ответ собеседницы, Ирина отвернулась и торопливо пошла прочь. Спину она по-прежнему держала прямо, но Александра видела, как женщина угнетена.

«Я готова биться об заклад, что Иван жив! — Художница медленно двинулась вслед Ирине. Та все прибавляла шаг и наконец, свернув за угол, скрылась из виду. — Мертвых не ревнуют, о них больше не беспокоятся, не думают с такой страстью. А она кипит, когда говорит о муже! Он жив, вне всяких сомнений, подозрения отца и Нины просто смешны. Как бы Ирине удалось скрывать его смерть и на какое наследство она могла бы в таком случае рассчитывать? Но что же, однако... Я была права, когда предположила, что мать Ивана — католичка! Для России вариант достаточно экзотический, но версия подтвердилась... Священник, наверное, был очень удивлен, когда два человека подряд спросили его о давней прихожанке! То-то он насторожился, по словам Ирины...»

Ее томила подкравшаяся глубокая усталость, неизбежное следствие бессонной ночи. Александра взглянула на часы: время близилось к семи вечера. «Если лягу спать сразу, как доберусь до дома, к полуночи отдохну и буду в состоянии заняться делом! Нельзя же надеяться на то, что случится чудо и на меня свалится выгодная сделка, покладистый клиент, сумасшедший коллекционер, который поручит распродать его сокровища по дешевке... Сейчас в делах застой, так что деньги приходится добывать по копейке...»

Вернувшись домой, она сразу легла в постель. Цирцея, дожидавшаяся ее возвращения под дверью, с довольным видом улеглась рядом, поверх одеяла, и принялась умываться. Александра привычно положила ладонь на кошачий бок, мелко подрагивавший и уже покрывшийся мокрыми колючками от умывания. Кошка в ответ издала утробный тарахтящий звук. Женщина закрыла глаза и попыталась провалиться в сон. Но дремота, которая так сладко манила ее, лишая сил и кружа голову, постепенно отступила. Александра некоторое время лежала неподвижно, потом со стоном села. Кошка тоже поднялась, вопросительно мяукнув.

— Что за несчастье? — пробормотала женщина. — Сна ни в одном глазу. Неужели опять бессонница навязалась?

Этим недугом она страдала редко, лишь в дни самых напряженных переживаний, когда все мысли и чувства растворялись в одной, тревожной и неотступной идее. Так бывало, когда ее захватывало новое дело, сопряженное с тайной. Александра могла потерять сон на несколько суток и уснуть, лишь допытавшись до истины.

Цирцея, сидя рядом на мохнатом акриловом покрывале, смотрела на Александру в упор. Ее суженные зеленые глаза искрились.

— Не знаешь ли ты, когда я наконец поумнею? — обратилась к ней художница.

Кошка в ответ заурчала громче и вновь улеглась на покрывало, свернувшись клубком. Александра встала.

Присев к столу и открыв ноутбук, она подключила мобильный модем. Художница решила обмануть отступивший сон видимостью срочной работы, хотя ей надо было всего-навсего написать несколько писем, которые вполне терпели, проверить присланные по почте каталоги ближайших аукционов — просто для ознакомления, так как заказов она ни от кого не получала и ехать пока никуда не собиралась. Она по опыту знала: ничто так не приманивает сон, как необходимость работать...

«А еще полезнее перевести в электронный вид архив Альбины, чтобы он отныне всегда был под рукой! Ну, хотя бы начать! — сказала себе Александра, нажимая клавиши. — Вон он стоит и ждет внимания, здоровенный чемодан! Там сведения, о которых посредник, вроде меня, и мечтать не может... Целая книга судеб, списки живых и мертвых коллекционеров, продавцов и покупателей... Вкусы, привычки, личные сведения... Золотое дно!»

Когда ныне покойная подруга, заболев всерьез и осознав близость конца, подарила ей архив, то сказала без тени иронии: «Он будет твоим кормильцем до конца дней, этот глупый толстый чемодан!» И впрямь, за два года, миновавшие после смерти подруги, Александра заключила с десяток сделок, благодаря тому, что у нее под рукой были бесценные сведения.

Этот старый фанерный чемодан с обитыми латунью углами был битком набит пухлыми растрепанными тетрадями и рассыпающимися блокнотами. Альбина, равнодушная к внешним приметам жизни, к уюту, здоровью и прочим «мещанским мелочам», была педантична во всем, что касалось ее деловых контактов. Каждый клиент, хотя бы раз обратившнийся к ее услугам с целью что-либо купить или продать, попадал в архив. Она фиксировала не только имя, адрес и телефон, но все подробности каждой сделки, все вещи, прошедшие через ее руки, с ценой и описанием. Также Альбина отдельно отмечала факты, не относящиеся к делу прямо, но каким-то образом характеризовавшие клиента, — причуды, вкусы, пристрастия и антипатии. Например, могла особо отметить, что клиент ненавидит прямые вопросы и, чтобы уйти от ответа, может даже прервать разговор. Или же, обожает своего кота, и с ним можно легко наладить контакт, восхитившись красотой животного. Этим подробностям воистину не было цены — они позволяли Александре легко находить подход к людям, которых она видела впервые в жизни.

Архив был организован следующим образом. Случайных клиентов Альбина отмечала в тетрадях с серыми обложками. Если клиент совершал сделки и в дальнейшем, он переводился в тетради красного цвета. Для особо чтимых и постоянных клиентов заводились именные блокноты, отдельно на каждого. Каждая сделка фиксировалась на новой странице.

Поднявшись из-за компьютера, Александра расстегнула замки на чемодане, порылась и извлекла оттуда стопку именных блокнотов. «Начинать, так с них! — сказала себе Александра, пролистывая истрепанные пухлые книжицы. — Хотя тут уже половина — покойники... Но наследники-то у них остались, а уж известно, они все продают куда охотнее, чем сами коллекционеры... За какие же тут годы записи...

Начало восьмидесятых, Советский Союз, подумать только! А в девяностых сколько — просто валом повалило! Люди стали бедствовать, терпели удар за ударом, коллекции стали непосильным бременем, опасной в тяжелые времена роскошью... Другие, напротив, не знали, куда девать внезапно появившиеся огромные деньги! Потоки редкостей, прекрасных полотен переходили из рук в руки и исчезали бесследно, за границей или в частных коллекциях. Может быть, навсегда! Да, Альбина создала целую летопись эпохи, своеобразный театр теней, где по силуэтам можно догадаться о происходящем действии, обо всех потрясениях смутного времени...»

Внезапно ее, как незаметно подлетевшая оса, ужалила мысль, случайная, но, как ей тут же показалось, давно зревшая. Александра подняла изумленный взгляд на Цирцею, безмолвную собеседницу и свидетельницу ее ночных бдений. Лежавшая чуть поодаль черная кошка почти сливалась с темнотой, ее ярко-зеленые глаза мерцали, немо сообщая нечто важное.

— А нет ли в архиве Гдынского? — спросила Александра внимательно слушавшую кошку. — Ведь это вполне возможно! Ирина сказала, у него была большая коллекция театральной живописи Серебряного века. И все это якобы продано Ниной! Правда, та утверждает, что речь шла о каких-то мелочах, но ведь Альбина фиксировала и мелочи, если они проходили через ее руки... Да, если только посредником была она...

Далее художница подсчитывала молча. Альбина скончалась два года назад, но сделки проводила до последних дней своей жизни, вплоть до отбытия в больницу, откуда так и не вышла. Кое с чем ей помогала Александра, старавшаяся облегчить больной подруге этот процесс, но о многом художница не знала. Альбина, подобно всем перекупщикам антиквариата, отличалась скрытностью и не вдавалась в откровения даже с самыми близкими людьми.

«Ирина тоже приехала в Москву два года назад и, по словам Нины, сразу начала скандалить по поводу проданных вещей. Значит, продано все было еще при жизни Альбины! Но где же искать? Запись должна быть сделана на Гдынского, ведь продавцом она всегда записывала хозяина. Постоянным клиентом он вряд ли был... К чему Ирине было так возмущаться, если коллекции распродавались и раньше? Если вещи продавались по отдельности, а не сразу, то он, скорее всего, значится в красных тетрадях. Если все продано сразу и это был единичный случай — то в первичных, серых... где он, так или иначе, должен был оказаться — ведь с них начинались все дальнейшие контакты!»

Взглянув на стопки серых тетрадей, громоздившиеся в открытом чемодане, Александра покачала головой. Это была работа, которая могла растянуться на несколько суток. У архива Альбины был существенный недостаток: покойная владелица не вела общего списка людей, с которыми вступала в сделки.

— Как ты считаешь, я найду? — спросила художница Цирцею. Кошка, задремавшая было, тут же широко раскрыла глаза и вновь устремила на хозяйку загадочный искрящийся взгляд. — Что-то в последнее время мне не везет...

Она принялась разбирать тетради, стараясь отыскать те, которые относились к последним трем годам. Каталоги выставок были забыты, почта осталась непросмотренной, письма неотвеченными. Александру мучило любопытство, не мотивированное никакой предполагаемой выгодой. «Уж очень разную информацию они мне предоставили, эти две женщины, — рассуждала она, пролистывая тетрадь за тетрадью. — Одна полностью отрицает то, что говорит другая, и это у них во всем... Одна из них лжет, непременно, не бывает двух равноправных истин. Лжет и преследует своей ложью конкретную цель: старик на ладан дышит и оставит немалое наследство, хотя бы выражающееся в недвижимости! Не говоря уж о том, что, может быть, коллекция превзойдет все ожидания...»

Кошка, завороженная шелестом страниц, спрыгнула с постели, судорожно потянулась и, подобравшись ближе, застыла, напряженно следя за поисками. Изредка она протягивала лапку и делала несколько замахов, словно пыталась поймать и остановить быстро мелькающие страницы.

— Нет, — сказала наконец Александра, закрывая очередную тетрадь. — Это лишено всякого смысла, моя дорогая! Вот видишь, я нашла записи трехлетней давности, но тогда Альбина была уже очень больна, и сделок было совсем мало... Гдынского там нет. И потом, отчего я решила, что их первая сделка была совершена именно три года назад и попала тогда в тетради для новичков? Гдынский — коллекционер. Не исключено, что он когда-то уже приобретал что-то у Альбины или продавал ей. Тогда последняя сделка была повторной, и он в красных тетрадях, а первое упоминание о нем может относиться к неизвестно какому давнему году... И получается, что мне придется перерывать весь архив!

Цирцея зажмурилась, словно услышала нечто очень приятное. Александра невольно улыбнулась.

— Это все равно что искать черную кошку в темной комнате, — добавила она, протягивая руку и гладя антрацитовую шерсть зверька. — Они могли никогда в жизни не контактировать! Ты скажешь, почему я не спрошу Гдынского, что было продано? Ведь, наверное, он бы мне ответил. Но беда в том, что ему никак нельзя позвонить! Я должна с ним связываться посредством Нины или Ирины, а ни ту, ни другую привлекать к этому нельзя. Возможно — есть у меня и такая мысль! — что они лгут обе!

Женщина сложила тетради обратно в чемодан, щелкнула тугими замками и задумалась. Сон окончательно покинул ее, теперь голова прояснилась, словно не шли вторые сутки бодрствования.

«Чем гадать на кофейной гуще, нужно опять встретиться с Гдынским, в самом деле. Он болен, но в своем уме, и должен знать, что именно было продано. Мне кажется, та из них, кто лжет по этому вопросу, лжет и по всем остальным! Но как мне его увидеть? Опять подкарауливать, когда никого не будет дома?»

Внезапно она вспомнила о нише. Ей показалось, что это отличный предлог снова посетить квартиру, где никто ей не был особенно рад. «За исключением самого хозяина, с которым не слишком-то, кажется, считаются! — сказала себе Александра. — Завтра ниша будет готова. К чему присылать ее на дом к Гдынскому, если я могу ее привезти? Тайны вокруг ее происхождения больше нет, Виктор Андреевич осведомлен, что я содействовала изготовлению ниши, Ирина знает, что ее хитрость раскрыта. Работа должна быть доставлена и оплачена во второй раз... Вот и еще предлог там появиться — забрать гонорар Игоря!»

Александра набрала номер скульптора.

— Ниша готова? — спросила она, едва услышав ответное приветствие.

— Как и обещал: лак к утру подсохнет, — ответил тот несколько озадаченно. — Все-таки спешка пошла, да? Могу, если так срочно, подсушить феном, но ты знаешь, лак от этого тускнеет, да и трещинки могут быть.

— Не торопись, подождем до завтра, — успокоила его художница. — У меня предложение: чтобы тебе полдня не возиться со сдачей заказа, я берусь доставить нишу заказчице и получить у нее для тебя деньги. Только помоги мне в такси погрузиться, а ехать-то от твоей мастерской пять минут.

Игорь с энтузиазмом откликнулся:

— Дорогая, да я тебя погружу, довезу и выгружу, только избавь меня от переговоров с заказчицей! Вот, поверишь ли, это самое для меня противное, сдавать работу... А если человек еще толком не знает, зачем заказывал и чего хотел, ну, тут ангельское терпение требуется, чтобы выслушать, со всем согласиться, покаяться, голову прахом посыпать, да еще и деньги получить... У вас, женщин, такие штуки лучше получаются!

— Не у всех! — возразила Александра. — Но для тебя я это сделаю. Клиент в самом деле непростой. Может в последний момент закапризничать. Давай встретимся после мессы, в час. Ты ведь придешь?

— Что-то ты повадилась в церковь ходить, — иронично заметил Игорь. — Богословские вопросы замучили?

— Да где-то рядом... — уклончиво ответила художница. — Сам-то группу катехизации вон посещаешь с неведомой целью, а мне и в церковь пару раз зайти нельзя!

— Почему же с неведомой? — задиристо отозвался мужчина. — Зачем такие штуки вообще затеваются? Для воссоединения с церковью.

— Одобряю! — Александра, удивленная его тоном, в котором слышалась искренняя обида, заговорила серьезно. — Я только недоумеваю, почему ты вдруг заспешил, да еще, по собственным словам, будучи атеистом...

— Понимаешь, это все супруга... — Голос собеседника звучал устало и обреченно. — Супруга поставила дурацкое условие — вернется, только если я крещусь, и мы обвенчаемся. А так как она католичка и детей в той же вере крестила... Пусть! Если ей кажется, что это нам поможет, я не возражаю... Хотя не в крещении дело, а в ее характере! — как будто про себя, заключил мужчина.

— А она могла крестить там детей при том, что ты был не крещен вовсе? — заинтересовалась Александра. — Не было препятствием, что ты атеист?

— Нет, препятствий к крещению никаких не было, да и проворачивала все это ее мать, а жену это не сильно расстраивало, — признался Игорь. — И только вот в последнее время, когда у нас все разладилось, она вдруг решила, что нашла причину... Брак, не освященный церковью, ах-ах, как он вообще мог столько протянуть... Ну конечно, всегда легче приплести к делу потусторонние силы, чем трезво посмотреть на себя... Не стал бы я связываться, но дети, понимаешь... Только ради них и подписался на это приключение.

— В конце концов, о чем жалеть? — сочувственно произнесла Александра. — Плохого тут ничего нет, а хорошее, может, еще будет.

— Может, и будет, — без особой надежды ответил мужчина. — Но я предпочел бы прийти в церковь добровольно, а не как в ЗАГС. Туда она меня притащила тоже на аркане... Ну да ладно, встретимся после мессы. Мне еще работать, может, до утра. Этот распроклятый эскиз... Когда заказчик разок дает по рукам, никакого настроения нет продолжать...

Они попрощались. Отложив телефон, Александра задумалась. Информация, которую случайно обронил в разговоре Игорь, перекликалась с ее мыслями и сомнениями относительно семьи Гдынских. «Даже если глава семьи был атеистом, жене это не могло преградить путь в церковную общину и помешать окрестить ребенка по собственной инициативе... Значит, Иван мог быть крещен в Святом Людовике и не знать об этом. Сейчас вот ему зачем-то понадобилось выяснить, был ли в его жизни этот эпизод... Сколько интересов вдруг скрестилось в одной точке, словно церковь их сфокусировала. На первый взгляд, не происходит ничего примечательного... Всего лишь семья, где царит полный разлад — отца с сыном, мужа с женой, молодой невестки со всеми разом. Мало ли таких семей? Если бы Иван появился, дело не стоило бы внимания. Но Ирина упорно ограждает всех от общения с ним. Она ревнива. Может, ревновала мужа к его отцу? Может, в самом деле, способствовала их разобщению?»

Зазвонил телефон. Резкая вибрация, отдавшаяся через столешницу в ладонь Александре, заставила женщину вздрогнуть. Она схватила трубку и увидела номер Милы. С сильно бьющимся сердцем она приложила трубку к уху:

— Алло, наконец-то! Рассказывай! Нашла?

— Я сделала все, что ты просила, — ответила подруга. — Поехала в тот театр, собственно, это довольно известное кабаре. Представилась, показала свое журналистское удостоверение, наврала, что хочу взять пару интервью с девушками, которые там работают, желательно с русскими. Впечатления особого на администратора не произвела, к ним и так туристы валом валят. Но повезло, меня пустили за кулисы. Я нашла нескольких русских девушек, поговорила с ними...

Повисла пауза. Александра умоляюще воскликнула:

— Не говори только, что он умер!

— Умер или нет, неизвестно, — проговорила Мила, с многозначительным спокойствием, словно готовя слушательницу к потрясающему известию. — Дело в другом: ни одна из этих девушек понятия не имеет о том, кто он таков, твой Иван Гдынский. У них не было в последние три года никакого русского оформителя, декоратора, художника и тому подобного. Должна тебе заметить, что русскими там являются только некоторые артистки. Прочий персонал местный.

— Девушки могли не знать его! — Александра придвинула стул и присела. От волнения ноги вдруг ослабели. — Сколько они там работают?

— Достаточно, чтобы заметить соотечественника, даже если он сотрудничал с кабаре недолго. И вот еще что... — Мила снова помедлила, не то подбирая слова, не то рассчитывая усилить эффект от произносимой фразы. — О его супруге там тоже никто никогда не слышал. Никакой внезапно уволившейся Ирины из Москвы среди танцовщиц, работавших два-три года назад, не было. Ирина-то есть, это как раз одна из девушек, с которыми я беседовала. И она ручается: русских тезок за четыре года контракта так и не встретила.

Теперь медлила с ответом Александра. Она была ошеломлена услышанным, факты, сообщенные Милой, никак не укладывались в ее сознании. Ложью оказалась не часть, как она предполагала, а вся история Ирины!

— Что скажешь? — нарушила повисшее молчание Мила. — По-моему, эта женщина — авантюристка, к делу пора привлекать полицию! Она не та, за кого себя выдает!

— С Иваном явно что-то случилось... — проговорила наконец Александра. — Уже два года все сведения о нем поступают только от Ирины. Она лжет, и это значит...

— ...что никаких сведений нет, так? — на лету уловила подруга. — Вот что, Саша, я в твое чутье всегда верила. Ты умеешь унюхать неладное там, где мне бы и в голову не пришло что-то подозревать! Звони-ка ты в полицию! Если что, сошлись на меня, дай им мой телефон, электронный адрес, я могу все подтвердить. Там действительно дело дрянь. Удачи тебе!

Попрощавшись, Александра некоторое время сидела за столом, спрятав горящее лицо в ладонях. Ей внезапно стало жарко, кожу на лбу и щеках закололи тысячи крохотных иголочек.

«В полицию... В полицию... А что я им скажу? Кто я Гдынским, кто они мне? В полицию в этой ситуации должен и может заявить только родственник Ивана. Отец! Завтра я должна непременно остаться с ним наедине, любой ценой! Но как убрать из комнаты Ирину, ведь она будет встречать нишу, чтобы расплатиться? Какое несчастье, что старик может только читать по губам!»

Ей в колено мягко толкнулся кошачий лоб. Цирцея, тонко чувствовавшая тревогу хозяйки, бесшумно подошла и теперь терлась о ее ногу, выражая свое участие. Александра подхватила ее на руки, прижала к груди и, как всегда, испытала некоторое облегчение от этого немого, но искреннего сочувствия.

— Видишь, мы не зря беспокоились! — сказала она зверьку, глядя в его сузившиеся изумрудные глаза. — Боюсь только, что мы опоздали, года на два...

Глава 10

Солнечный луч прополз по истоптанным доскам пола, вскарабкался по ножке тахты и лег на одеяло. Кошка, давно проснувшаяся, блаженно вытянула лапы ему навстречу. Затем встала, потянулась, выгнув спину, и, мягко ступая, подобралась к самому лицу спящей хозяйки. Осторожно коснувшись носом ее подбородка, Цирцея выждала и повторила попытку разбудить Александру. На этот раз женщина приоткрыла глаза.

— Что, куда? — пробормотала она. — Выпустить тебя?

Цирцея спрыгнула на пол и направилась к двери. Вольнолюбивая по натуре, взятая некогда с улицы, она недолго могла выносить жизнь взаперти. Александра уважала ее страсть к свободе, до такой степени, что совсем не обижалась, если вдруг встречала Цирцею на улице или в ближайшем магазине, а та делала вид, что не узнает ее. И дело, как подозревала художница, было даже не в подачках, которые кошка получала у знакомых продавщиц: узнай те, что у нее есть хозяйка, они перестали бы проявлять щедрость. Александра считала, что кошка просто отстаивает последний островок независимости, защищает свой статус уличной, свободной кошки.

«Да ведь и я такая же!» Александра встала с постели и, подойдя к двери, выпустила Цирцею. «Стоит прибиться к надежной пристани, как тут же тянет на волю... А воля — неуютная, ненадежная, опасная!»

Выудив из кармана брошенной на спинку стула куртки часы, она обнаружила, что перевалило за одиннадцать. Обычно час пробуждения не играл для нее никакой роли: Александра привыкла работать по ночам, а сдавать работу во второй половине дня. Но сегодня ей нужно было поторопиться, чтобы успеть к мессе.

Церковный двор был полон, французская месса закончилась. Она с трудом пробиралась в шумной толпе от ворот до ступеней храма. Александра искала взглядом Ирину, но не видела ее. Молодая женщина, впрочем, могла подойти к концу следующей, русской мессы, после которой священник обещал предоставить необходимые сведения. Александра в последний раз обвела взглядом людей на ступенях и во дворе, смеющихся детей, лепечущих по-французски, сощурилась на яркое, совершенно летнее солнце, высушившее за утро все оттепельные лужи. Лишь в тени старой серебристой ели, там, где пряталась скамейка, оставалось сырое пятно.

Художница выключила телефон, спрятала его в карман распахнутой куртки, потом вовсе ее сняла и повесила через руку. Становилось по-настоящему жарко. «Зима была такая затяжная, снежная, а лето наступило вдруг, словно выплеснулось на город...» Она провожала взглядом людей, постепенно исчезавших в открытой калитке. Французы смешивались с входившими русскими прихожанами, торопившимися к началу мессы. Ни Ирины, ни Игоря среди них не было, не заметила она и Георгия, который тоже должен был подойти. «Быть может, все они уже внутри?»

Вероятно, по случаю воскресенья и теплой погоды был открыт главный вход в храм. Александра с минуту помедлила возле распахнутой высокой створки деревянных ворот, покрытых резьбой, оценивая качество работы. В храме, светлом и солнечном, пахло ладаном, с крыльца, как птичьи трели, доносились звонкие детские крики. Женщина медленно прошла вдоль рядов, оглядывая прихожан, занимавших места к началу русской службы. Затем вернулась по боковому проходу, на минуту задержавшись у алтаря святого Людовика, чьи широко распахнутые глаза приобрели особенно экстатическое выражение на ярком свету. Она уселась на предпоследней скамье, в левом ряду, неподалеку от чаши со святой водой. Отсюда женщина отлично могла наблюдать за обоими входами в храм — и центральным, и тем, что располагался прямо у нее за спиной. Сидя на пустой скамье вполоборота, она следила за людьми, появлявшимися в церкви.

«Ни Ирины, ни Игоря, ни Георгия... — Художница провожала взглядом прихожан, занимавших места, вытягивала шею, стремясь рассмотреть тех, кто сразу проходил в дальний конец храма. — Что же это такое? Ведь все они обязательно обещали прийти!»

Рядом с ней на скамью кто-то опустился. Обернувшись, она увидела Георгия. Он заговорщицки улыбнулся ей, как старой приятельнице, с которой его связывали общие воспоминания. Художница ответила улыбкой, но сказать ничего не успела: прозвонил колокольчик, и началась месса.

Когда процессия с крестом обходила зал и миновала их ряд, она заметила, как на последней скамье центрального прохода усаживается подоспевшая Ирина.

Молодая женщина села и замерла, не касаясь спинки скамьи, держась преувеличенно прямо, словно в позвоночник ей вонзились колючки. Она сидела, плотно сжав губы, Александра различала, как подрагивают ее бледные напряженные ноздри. Больше всего Ирина напоминала сейчас кошку, которая готовится броситься на мышь.

Игоря видно не было. На протяжении службы, которая на этот раз показалась художнице очень длинной, хотя занимала всего час, Александра многократно оглядывала зал, но мужчина так и не появился. Когда священник отпустил прихожан и те начали подниматься, женщина тоже встала:

— Вы будете ждать Игоря? — обратилась она к Георгию. — Почему-то я его не вижу... А ведь он обязательно должен был прийти!

— Ждать не имею возможности, — покачал головой мужчина. — У меня скоро поезд, я отсюда сразу на вокзал. В принципе, этот заказ был больше нужен ему, я-то найду, к кому обратиться. Правда, хотелось сделать это именно в Москве, но раз он пренебрег...

В этот момент в центральных дверях появился скульптор — взмыленный, раскрасневшийся, в светлом льняном костюме, измятом так, словно он был выужен со дна мешка с вещами. Под мышкой Игорь сжимал большую картонную папку. Обводя зал диким невидящим взглядом, он случайно заметил машущую ему Александру рядом с Георгием и, радостно вскрикнув, подошел к ним.

— Я работал до последней минуты, — лихорадочно развязывая тесемки папки, заговорил он, пожав руку заказчику и кивнув женщине. — Понимаете, хотелось представить все как можно нагляднее... Саша, взгляни тоже!

Но художница умоляюще вытянула руку:

— Постой, сейчас я тороплюсь, мне срочно нужно в ризницу... Чуть позже!

Она оставила мужчин и поспешно последовала за Ириной, которая уже шла по центральному проходу к алтарю. Молодая женщина двигалась походкой автомата, не глядя вокруг. Александре, замедлившей шаг, бросилась в глаза ее чрезмерно напряженная спина. Казалось, та берегла позвоночник от любого движения, словно он был сделан из хрупкого стекла. Александре уже не впервые подумалось, что болезненная бледность Ирины, тики, искажавшие ее лицо, эта неестественно прямая спина могли быть симптомами серьезного нервного заболевания.

Молодая женщина скрылась в ризнице. Александра, поколебавшись, тоже подошла к раскрытой двери и остановилась у косяка, наблюдая за происходившим внутри.

Ирина беседовала со священником, держа в руке листок бумаги, очевидно только что полученный от него. Беседа, впрочем, была односторонней — женщина, стоя вполоборота к Александре, смотрела на священника, порывалась что-то сказать, но каждый раз сдерживалась, а он негромко говорил. Наконец Ирина склонила голову, словно в знак благодарности, повернулась и пошла прямо на Александру. Та отступила на шаг, молодая женщина прошла в дверь, задев ее краем свисавшей с плеча сумки. Александра тихо окликнула ее, иначе Ирина так и ушла бы, ничего не заметив.

— Я на одну минуту, — сказала Александра, глядя в лицо молодой женщине, застывшее и приобретшее безжизненный восковой оттенок. Даже статуи святых в храме выглядели более одушевленными. — Подождите меня, прошу вас! Мне нужно кое-что вам сказать...

Ирина, не ответив, медленно пошла прочь по проходу, к двери. Ждать времени не было: сзади уже выросла небольшая очередь из людей, также желавших попасть в ризницу.

Священник, едва взглянув на Александру, молча, ни о чем не спрашивая, протянул ей лист бумаги.

Художница помедлила мгновение, прежде чем его принять.

— Вы нашли сведения о Марии Гдынской? — спросила она, хотя прекрасно понимала, что в противном случае никакой выписки не получила бы. Но Александра рассчитывала услышать что-то еще, кроме сухих фактов.

— Нашел, она была прихожанкой нашего храма. — Священник говорил сдержанно, смотрел на нее испытующе. В его взгляде читался вопрос, которого Александра не понимала. — Я выписал для вас все, что можно было узнать в приходских книгах, — после паузы продолжал он. — Собственно, немного. Она была здесь крещена, здесь есть и отметка о ее смерти. Здесь крещен и ее сын.

— Спасибо. — Александра взяла наконец бумагу. — Спасибо огромное. Я хотела еще спросить вас, хотя понимаю, навряд ли такие сведения можно дать с ходу... Не было ли в церкви в те годы, когда Мария была еще жива, прихожанина по имени Тристан? Имя редкое, оно могло запомниться...

— Впервые слышу о нем, — все так же сдержанно ответил священник. — Женщина, о которой вы наводили справку, умерла в восемьдесят пятом году... Я здесь появился намного позже.

Поняв, что больше ей ничего не узнать, Александра поблагодарила, попрощалась и вышла из ризницы. Оглядев храм, она не увидела ни Ирины, ни Игоря с Георгием. Женщина заторопилась к выходу в надежде, что встретит всех троих во дворе.

Ни скульптора, ни заказчика снаружи не оказалось. Остановившись на крыльце и оглядывая двор, Александра убедилась, что мужчины ушли. «Надеюсь, Игорь на этот раз не промахнулся с эскизом, — думала она, рассматривая редеющую толпу. — Может быть, поехал на вокзал с Георгием, чтобы уговорить его по дороге... Но где же, однако, Ирина?»

Отсутствие молодой женщины и странность ее поведения, подмеченная во время мессы, волновали Александру все сильнее. «Не случилось ли чего за ночь? Быть может, Виктор Андреевич скончался? На ней лица не было, особенно когда она выходила из ризницы...»

Двор почти опустел, и ее взгляду открылся вид на голубую ель, прикрывшую ветвями скамейку. В тени художница заметила одиноко сидящую фигуру.

...Ирина едва повернула голову, когда Александра уселась рядом на скамью со словами:

— Как хорошо, что вы меня дождались! Я хотела спросить вас кое о чем важном...

Художница осеклась. На языке у нее вертелся вопрос, она твердо решила спросить о настоящем местонахождении Ивана, но видела, что молодая женщина вне себя от волнения. Бумагу, выданную в ризнице, Ирина все еще сжимала в руке.

— Вы узнали что-то? — спросила Александра, помедлив. — Вам дали справку? Иван был крещен здесь?

— Что? — вздрогнув, переспросила та, напряженно глядя Александре в лицо, словно художница заговорила на незнакомом языке. — А, да...

Сложив бумагу, Ирина опустила ее в карман плаща. Провела по лбу ладонью, тряхнула головой и посмотрела на собеседницу уже более осмысленным взглядом:

— Справку мне дали. Я пойду, нет времени совсем.

— Я хотела кое-что с вами выяснить, — остановила ее Александра. — Вы уверены, что Иван не менял место работы в Париже? Вы полностью в курсе его перемещений?

Повисла очередная пауза. Задержав на художнице непроницаемый взгляд, Ирина медленно проговорила:

— Какое это имеет значение?

— Очень большое, — отчаянно волнуясь, Александра старалась сохранять спокойный рассудительный тон. — Быть может, он сейчас работает вовсе не на тот театр. А если он вдруг исчезнет, перестанет отвечать на ваши звонки, звонить сам — как вы его отыщете?

Лицо молодой женщины слегка прояснилось:

— Ах, это... Ну, теперь не имеет никакого значения, где он работает. Иван возвращается, он приезжает на днях.

— В самом деле?! — воскликнула потрясенная известием Александра. — Что же его сподвигло вернуться?

— Виктор Андреевич совсем плох, — хладнокровно ответила молодая женщина. Она как будто совсем избавилась от гнетущего настроения, с которым вышла из церкви. — Слег и никого не узнает. Нина приехала и остолбенела. — На губах Ирины мелькнула бледная улыбка: — Если он не придет в себя, рассчитывать ей не на что. Завещание сделано на Ивана, другого не было. Я бы знала, если бы он изменил условия! Так она и не дождалась своего часа, все ее планы рухнули! Теперь он в бессознательном состоянии, поздно! Я немедленно позвонила мужу, и он сказал, что все бросает, пройдет через все штрафы и бюрократические преграды, которые ему грозят, и через два-три дня любой ценой будет здесь. Нина старалась напрасно!

— Ваш муж может опоздать... — Александра, обескураженная злорадством Ирины, невольно заговорила с укоризной, хотя обычно избегала осуждать кого-то: — Он слишком долго собирался.

— Главное, приедет! — Глаза Ирины светились воодушевлением, на впалых щеках появился легкий румянец.

— Ну что ж... Значит, ниша больше не нужна? — окончательно растерявшись, спросила Александра.

— Ниша? — Молодая женщина порылась в сумочке и, вытащив кошелек, протянула художнице деньги: — Заплатите автору, пусть ниша побудет у него, как-нибудь заберем. Потом. Конечно, не нужна, это был глупый каприз старика. Ребяческая выходка. Нина, чем потакать его фантазиям, лучше бы позаботилась как следует о завещании! Но ей больше нравилось сживать меня со свету... Вот и посмотрим теперь... Теперь увидим!

Торжествующе улыбнувшись напоследок, Ирина поднялась и торопливо пошла к воротам. Александра, встав со скамейки, провожала ее взглядом до тех пор, пока не потеряла из виду.

«Так значит, он приедет... — только одна эта мысль и вертелась у нее в голове, Александра не в силах была додумать ее до конца. — Иван приедет, и все предположения о том, что он попал в беду, неверны. Все закончено!»

Она медленно двинулась к воротам, продолжая раздумывать над услышанным. «Ну что ж, все к лучшему! Чего еще желать, кроме того, чтобы Иван успел проститься с отцом? Главное, он едет... Беда только в том, что несчастный старик очень плох и может даже не осознать, что сын вернулся. Дотянуть до последнего момента из-за какой-то глупой обиды, как сказала Нина, из-за каких-то бумажных дел, которые можно было уладить, другие же улаживают! Но все-таки, зачем Ирина лгала, где именно они работали? Какая старику была разница, в этом театре они подвизались или в другом? В другом бы даже лучше, чем в этом, Виктора Андреевича как раз шокировало варьете. Можно было произнести любое название, а они остановились на довольно рискованном... Обычно люди лгут себе на пользу, а эти во вред...»

Бумагу, выданную ей в ризнице, художница все еще сжимала в руке. Выйдя за ворота, Александра остановилась и, развернув ее, прочла несколько строк, записанных неразборчивым размашистым почерком, похожим на те, каким пишут участковые врачи.

«Мария Брониславовна Ткачук, в замужестве Гдынская. Родилась 23 мая 1961 года, крещена 14 июля 1961 года, о. Витольдом Броницким. Скончалась 10 апреля 1985 года...»

Взгляд Александры скользнул строчкой ниже.

«...Иван Викторович Гдынский. Мать — Мария Брониславовна Ткачук, отец — Виктор Гдынский...»

«Забавно, — рассеянно думала женщина, с трудом вчитываясь в неразборчивые строчки, буквы в которых больше напоминали ноты. — Мать указана полностью, а от отца понадобились только имя и фамилия!»

«...Родился 21 января 1983 года, крещен 15 февраля 1983 года, о. Станиславом Мажейко. Умер 18 февраля 1983 года...»

Листок дрогнул у нее в руке. Не веря своим глазам, она вчитывалась в последние строки, перепрыгивая со слова на слово, пытаясь найти ошибку, которая обязательно должна была там обнаружиться. «Иван Викторович Гдынский... Мать — Мария Ткачук, отец — Виктор... Родился 21 января 1983 года, крещен, умер...»

— Умер! Господи, помилуй! — вслух произнесла она так громко, что проходившая мимо пожилая женщина оглянулась и на миг остановилась. — Что все это означает?! Иван мертв?! Их сын умер, не дожив и до месяца?! Его давным-давно нет?! Тогда кто...

Запнувшись, Александра замолчала. Пожилая женщина, убедившись, что продолжения не последует, пошла дальше. Художница пересекла Милютинский переулок, прошла цепью дворов, соединявших его с Мясницкой, бросила взгляд направо, налево... Ирины не было. Художница, все еще держа в руке выписку из приходской книги, сложила ее и спрятала в сумку. Достав из кармана телефон, она набрала номер Игоря.

Такси остановилось у подъезда, когда Александра уже теряла терпение. Игорь, выбравшись наружу, с предосторожностями вынул тяжелый предмет, тщательно обернутый в пузырчатую упаковочную пленку. Александра подскочила и поддержала нишу снизу, когда та едва не выскользнула у скульптора из рук на тротуар.

— Еще бы и эта разбилась! — воскликнула она, когда такси отъехало. — Аккуратнее!

— Тяжелая, зараза... — выдохнул Игорь, перехватывая сверток повыше и прижимая его к груди. — Открывай дверь.

— Погоди... — Женщина перевела дух. — Поставь ее пока на землю... Я не знаю кода. Придется подождать, когда кто-нибудь нас впустит.

— Начинается! — Игорь сердито покосился на нее поверх ниши. — Тебя что, не ждут? Говорила, условилась с заказчиком!

— И даже получила твой гонорар, — успокоила его Александра. — Подождем немного. Ты мне ее только в квартиру внеси и можешь сразу уходить.

Деньги немедленно утешили скульптора, однако он сообщил Александре, что не может свободно располагать своим временем и остается ждать только из личной симпатии к ней.

— Довез я своего клиента до вокзала и в вагон посадил, — сообщил он, закуривая и с наслаждением пуская по ветру синеватый дым. — Кажется, эскизы его убедили. Заказ он мне обещал. Это очень приятно, потому что мелочовка мне надоела. Пора вспомнить, к чему стремился в юности, — цели, идеалы и прочее...

— Иногда лучше не вспоминать, — ответила Александра, напряженно оглядывавшая переулок. — Слишком велик разрыв с тем, что достигнуто в настоящем...

...Их выручила девушка, выходившая из подъезда с таксой на поводке. В первый миг Александра вздрогнула: ее ввели в заблуждение длинные темные волосы девушки, на мгновение ей померещилось, что это Ирина.

«И ведь знаю, что сейчас придется с нею встретиться, но боюсь... — думала она, поднимаясь по лестнице и слыша тяжелое дыхание Игоря, осторожно ступавшего со своей ношей по пятам. — Боюсь, что не смогу спокойно с ней говорить. Какое счастье, что я не прочла выписку при ней! Я бы не сдержалась, спросила, как все это понимать, как она может быть женой человека, который тридцать лет как мертв?! И тогда меня не пустили бы на порог этой квартиры...»

— Здесь, — дрогнувшим голосом произнесла она, указывая на знакомую дверь. — Поставь тут, у стены. И можешь уходить, ты ведь спешил.

Выполнив ее указания, Игорь выпрямился и, взглянув на спутницу, нахмурился:

— Что это с тобой?

— Так... — женщина попыталась улыбнуться. — Немного не по себе.

— Может, мне остаться? — великодушно предложил Игорь. — Заказчица проблемная?

— Чуть больше, чем я думала... Иди! — Александра сделала отстраняющий жест. — Справлюсь, тут ничего сложного.

Слушая удаляющиеся шаги, хлопанье тяжелой двери внизу и наступившую затем в подъезде тишину, она остро чувствовала свое одиночество. И все же Александра не жалела о том, что отвергла только что предложенную помощь. Здесь, за дверью, в полном безмолвии, в квартире, которая казалась необитаемой, ее ждала тайна, оказавшаяся еще более темной, чем художница предполагала вначале. Закрыв глаза, она собиралась с мыслями, переводя дух перед решительным шагом.

«Он мертв, его, можно сказать, не было. Значит, Ирина — самозванка. Она явилась из ниоткуда, выдав себя за жену Ивана. Но как старик мог поверить в нечто подобное? Он безумен? Потерялся в своих снах? У меня не было такого впечатления, когда я с ним общалась, но все может быть... Как тогда должно выглядеть завещание, которое он составил на давно покойного сына? Какой нотариус мог его принять? И на что рассчитывает Ирина?»

«А Нина? Какую роль может играть эта женщина, которой, конечно, отлично известны все семейные обстоятельства?! О том, что у сестры когда-то умер ребенок, она не могла не знать! И тем не менее со мной она говорила об Иване как о живом! Они обе, не сговариваясь, говорили о нем как о живом, но он мертв! Эти две женщины — враги, но тут они сошлись! Но вот она, реальность, — у меня в сумке, записана на листе бумаги, с этими фактами не поспоришь, Иван мертв, его нет! Что это значит? Они обе лгут, и каждая с легкостью разоблачила бы ложь другой. Значит, они сговорились? Зачем?!»

Ей вспомнился последний разговор с Гдынским. «Он говорил как человек, у которого есть определенные воспоминания о сыне. Есть некое общее прошлое, счеты, обиды. Невероятное самоубеждение! И главное, то, что он сказал напоследок...»

Она отчетливо помнила бледное лицо сидевшего в кресле человека, его внезапно загоревшийся надеждой взгляд и лихорадочный шепот, срывающийся с губ: «Они ждут, когда я умру, и одной из них достанется все! Но я не желаю благодетельствовать ни той, ни другой, если Иван жив!»

...Грохот захлопнувшейся внизу подъездной двери вывел ее из задумчивости. Вздрогнув, Александра потянулась к звонку и нажала его. Девушка с таксой, возвращавшаяся с прогулки, поравнялась с ней и, поднимаясь выше по лестнице, мельком, с удивлением оглядела Александру. Художница нажала звонок еще раз — никакого ответа. Она слышала, как в квартире, за дверью, слабо отдается трель, но никто не вышел открыть.

«Что происходит? — недоумевала женщина. — Гдынский при смерти и при нем никого нет?! Куда делась Ирина? Она ведь пошла домой? И в любом случае, тут ведь была Нина... Может быть, все уехали в больницу?»

Внизу снова хлопнула дверь. Спустя несколько минут на площадке рядом с Александрой остановилась пожилая женщина, которую художница сразу узнала. Соседка, которая впустила ее в квартиру Гдынского во время прошлого посещения, тоже узнала ее и приветливо осведомилась:

— Снова к ним? Неужели никого нет?

— Я звоню — не отвечают... А Виктор Андреевич чувствует себя хуже, вот я и хотела зайти... — сбивчиво заговорила Александра. Внезапно ее обожгло: — Послушайте, мы с вами в прошлый раз говорили об Иване... Получается, вы знаете его?

— То есть? — недоуменно, все больше настораживаясь, ответила женщина. — Когда-то знала, пока он здесь жил. Много лет не видела. Да в чем дело?

— Так... — Александра, окончательно сбитая с толку, не сводила с нее растерянного взгляда. — Я подумала... Ничего... Вы можете отпереть мне дверь, как в прошлый раз? Я привезла Виктору Андреевичу подарок. Он его очень ждал!

Возможно, только наличие массивного свертка, прислоненного к стене, убедило соседку вновь оказать услугу. На этот раз она держалась куда недоверчивее. Александра, понимавшая, что женщину озадачили ее странные расспросы, помалкивала.

— Куда они подевались? — Позвонив несколько раз, соседка отперла дверь своим ключом с явной неохотой. — Завели моду бросать старика одного... Говорите, ему хуже? Сынок-то когда собирается приезжать?

— Будет на днях...

Художница с усилием приподняла тяжелый сверток и перенесла его через порог. Выпрямившись, она прислушалась. Соседка, не двигаясь с места, тоже слушала тишину. Взгляды женщин встретились.

— Вроде никого нет? — вопросительно произнесла соседка. — Давайте-ка, от греха, выйдем. Я дверь запру, а вы позже зайдете. Я вас тут оставлять в пустой квартире не могу, сами должны понимать.

Александре все же удалось настоять на том, чтобы заглянуть во все комнаты и убедиться, что никого нет. Соседка не отставала от нее ни на шаг, впрочем, ее присутствие Александру не только не стесняло, но и подбадривало. Эта внезапно опустевшая, словно вымершая квартира пугала ее. Первое впечатление оказалось верным, все комнаты были пусты.

— Значит, они увезли Виктора Андреевича в больницу! — заключила соседка, входя вслед за Александрой в ту комнату, где художница оба раза встречалась с Гдынским. — Бедняга, вернется ли он еще... Впрочем, он давно болел. Этого надо было ждать!

— Скажите... — решившись, Александра повернулась к ней. — Вы знаете Ивана с детства? Они ведь всегда тут жили?

— Что за вопрос? — Женщина подняла брови. — Я сама здесь живу всего лет шесть, ну, и видела его несколько раз. Потом он уехал работать за границу.

Александра умолкла. Она не могла задать более конкретного вопроса, так как (женщина отлично это сознавала) он прозвучал бы очень странно. «Как я могу спросить ее прямо: считает ли она Ивана, того мужчину, которого видела когда-то, сыном Гдынского?! Это безумный вопрос. Он просто неприличен! Кроме того... Быть может, сам Гдынский не знает на него ответа! Быть может, он болен настолько, что эти две женщины сговорились и вводят его в заблуждение, убеждая, что некогда умерший сын жив... Они могут манипулировать им: разве вся эта затея с нишей не была одной сплошной манипуляцией, основанной на тоске Гдынского по потерянной когда-то жене? Быть может, и сын — такая же подделка, которую им было выгодно всучить бедняге? В этой ситуации я могу доверять только выписке из приходской книги: мне ее выдал человек, никак не заинтересованный в наживе. Эта квартира стоит целого состояния! Имеется еще дача... И кто знает, что представляет из себя коллекция!»

В комнате с эркером отсутствие хозяина ощущалось особенно остро, как в тех комнатах, где проводят все свое время тяжело больные люди. Кресло, в котором сидел Гдынский, плед, скомканный и переброшенный через его высокую спинку, забытая в уголке раскрытая книга — все говорило о спешке, в которой тот уехал.

Александра сделала шаг, другой, обернулась. Соседка, стоявшая на пороге комнаты, следила, казалось, за солнечным лучом, путешествующим по паркету.

— Вот думаю, — сказала та, очнувшись от своих мыслей, — что за соседи теперь у нас будут? Иногда наследники торопятся продать квартиру... Вы не слышали, они не собираются?

— Виктор Андреевич еще жив! — напомнила Александра.

— Но думать-то о будущем надо! — возразила соседка. — Хотя решать, конечно, будет сын, эти две тут ни при чем. А забавно было наблюдать, как невестушка явилась из Парижа и выставила Нину на лестницу! С характером девушка. Не побоялась мужа одного в Париже оставить на два года! Уверена в себе, значит!

— Скажите, — решилась наконец Александра, которую каждое, прямое или косвенное упоминание об Иване выбивало из колеи. — Иван — это родной сын Виктора Андреевича? Быть может, он просто близкий родственник? Или вообще, посторонний?

— Да что вы! — воскликнула женщина, изменившись в лице. — Конечно сын! Виктор Андреевич знает, полагаю, кто ему сын, а кто нет. Голова у старика пока ясная, ничего такого я за ним не замечала! — И, так как Александра молчала, осторожно добавила после паузы: — Но может, я чего-то правда не знаю? Я ведь не так давно здесь живу... Ну, вижу их мельком, здороваюсь, а кто они там друг другу, знаю с их слов. В основном Нина со мной общалась. Виктор Андреевич давно не выходит из квартиры, с Иваном перекинулась парой слов когда-то... А из его жены вообще слова не вытянешь. Ходит, будто осиновый кол проглотила!

— Я тоже знаю совсем мало, — призналась Александра. — Но многое мне кажется странным, а кое-что совсем необъяснимым. Собственно, меня волнует лишь одно: чтобы ваш сосед не стал, в силу своей болезни, жертвой аферистов. Эта квартира... Сами понимаете, сколько она должна стоить!

— Ну, какие там аферисты! — отмахнулась соседка. — Это же все его родственники!

«Знать бы только, кто на самом деле является ему родней! Иван — не мифическое лицо, соседка видела человека, который, безусловно, казался ей сыном и называл себя таковым... Ирина, свалившаяся как снег на голову, притом, что все контакты с Иваном вдруг были потеряны, скорее всего, является частью некоей аферы... Она даже свое место работы во Франции назвала старику неправильно! Понятно только одно — тот, кого она зовет своим супругом, и тот, кто умер в младенчестве тридцать лет назад, — не одно и то же лицо...» Александра, решив не вступать в спор, напоследок обвела взглядом комнату. Лишившись возможности спросить самого хозяина, какова была действительная ценность проданных Ниной вещей, она спрашивала вещи, предметы обстановки, отвечающие немо, но красноречиво.

Старинный буфет с гранеными стеклами и резьбой, почти почерневший от наслоений лака. Кресло, так называемое вольтеровское, — сквозь истертую голубую обивку тут и там сквозила прежняя, зеленая. Книжные полки, забитые до отказа. Книги, как заметила Александра, были в основном советских годов издания. Современных и старинных было совсем немного. «По обстановке нельзя догадаться о том, владел ли он в самом деле такой ценной коллекцией, как утверждает Ирина. Коллекция могла существовать в этой квартире, вот все, что можно сказать...»

Услышав за спиной шаги, она вновь обернулась и замерла. Соседка, стоявшая на пороге комнаты, вздрогнула и, произнеся нечто невнятное, прижала руку к груди, словно запечатав там рвущиеся на волю слова.

— В чем дело? — Ирина с искаженным лицом переступила порог и огляделась, будто рассчитывая увидеть целую толпу. — Как вы сюда попали?!

— У меня же есть ключ, — несмело ответила соседка. — Мне когда-то дала Нина, на всякий случай, чтобы было кому открыть дверь, если ее нет... Хотя бы врачу...

— Но сейчас-то вы что тут делаете? — Темно-голубые глаза молодой женщины сузились и казались почти черными. — Это неслыханно... Два посторонних человека находятся в квартире... Стоило хозяину уехать в больницу! Вы поджидали, что ли?

— Я привезла нишу и не могла оставить ее в подъезде, — опомнилась Александра. Она чувствовала неловкость и говорила, против своего желания, виновато. — Везти обратно тоже невозможно, мне ее и до такси в одиночку не дотащить. Вот я и попросила об одолжении...

— Далась вам эта ниша... — Ирина почти не разжимала губ, обращаясь к незваной гостье.

Соседка, бесшумно попрощавшись, хотела было идти, но молодая женщина ее остановила:

— Ключ-то отдайте! Вы понимаете, что я не могу отвечать за сохранность здешнего имущества, когда ключи находятся у третьих лиц?

— Вообще-то, мне дала его Нина... — возразила та с обиженным видом.

— Нина здесь появится не скоро! Может быть, никогда! Так что, давайте ключ!

Ошеломленная, соседка сдалась и протянула Ирине ключ, мгновенно исчезнувший в ее кулаке. После этого она уже беспрепятственно удалилась. Когда хлопнула входная дверь, Ирина вновь повернулась к Александре, молча ожидавшей продолжения. Их взгляды встретились.

— Скажите на милость, — нарушила молчание Ирина, — почему я все время с вами сталкиваюсь? У меня уже полное впечатление, что вы за мной следите! Зачем?

— Может быть, так и есть! — Александра решила говорить начистоту. — Хотя, хочу вам напомнить, это вы в самом начале нашего знакомства просили приехать сюда и помочь ввести в заблуждение Виктора Андреевича.

Ирина сделала отрицательный жест:

— Я очень жалею об этом шаге, надо было мне догадаться, что это ловушка. Нина изобрела, чтобы доказать и уличить, — она только этим и занимается. Человек посвятил себя избавлению мира от зла, а зло — это я, конечно. Но теперь с этим покончено!

Ее обычно бледное лицо слегка разрумянилось. Женщина тяжело дышала, словно после схватки.

— Свекор сам настоял, чтобы она ушла и больше не появлялась. Пришел в себя на минутку, уже когда «скорая» ехала, увидел эту змею и велел ей убираться!

— Откуда вдруг такая ненависть? — рискнула спросить Александра. — Ведь он ей доверял.

— Иван поставил условие: он приедет, если не будет Нины! Я успела озвучить все отцу, ну, и он сразу согласился, конечно!

— То есть Нина с Иваном не увидится?

— Иван надеется, что нет! Да почему вас так волнуют наши семейные дела? Нишу я заметила, привезли, большое спасибо. Деньги я вам отдала. На этом, надеюсь, все?

— Не совсем, — ответила Александра, пытаясь говорить спокойно. — Меня беспокоит то, что в ваших семейных делах очень много построено на лжи. Беспокоиться мне, конечно, было бы не о чем, если бы все не разворачивалось вокруг больного, старого и, как я вижу, одинокого человека. К тому же обремененного некоторым имуществом.

Ирина высоко подняла брови, на ее фарфоровом, гладком лбу появились гневные морщинки:

— Вы намекаете, что я помогаю мужу обобрать собственного отца?! Вы на стороне Нины, видимо?! Она никак не может смириться с тем, что родительская квартира достанется сыну сестры, а ей — комната на окраине.

— Нет, вы бережете имущество супруга, и это совершенно законно и всячески похвально! — Александра не удержалась от язвительного тона. — Непонятно другое: зачем вы ввели свекра в заблуждение относительно места, где познакомились в Париже с Иваном? В том театре ни о нем, ни о вас никто не слышал.

Ирина, против ожиданий, не смутилась. Лишь чуть запнувшись, она ответила, глядя прямо в лицо художнице:

— А какая разница? Не все ли равно, где горе мыкать. Встретиться и работать мы могли где угодно.

— Но зачем лгать старику?

— Вами проделана большая работа по просьбе этих двоих, я вижу, — с усмешкой ответила Ирина. — Но теперь Виктор Андреевич в ваших услугах не нуждается. Ему нужен хороший врач и... сын! А Иван точно приедет.

— Да... — Александра уже с трудом выдерживала устремленный на нее взгляд — торжествующий, ясный, в котором не читалось и тени вины. — Вы ведь получили справку в церкви? Иван все-таки крещен там?

— Как выяснилось, нет! — Ирина повела плечами, словно стряхивая невидимую накидку, накинутую на плечи. — Да это уже и не важно.

— Конечно, важно другое... — медленно проговорила Александра, доставая из кармана сумки сложенный лист бумаги и разворачивая его. — Важно и интересно другое: как вы можете быть женой человека, который умер в младенчестве?

Реакция была мгновенной: Александра все это время следила за лицом молодой женщины и потому успела увидеть, как раздулись и опали ноздри, искривился рот, померкли торжествующе блестящие глаза.

— Какой бред! — придя в себя, ответила Ирина.

— Отчего же? Нам с вами выдали одинаковые справки, полагаю. Так что вы уже знакомы с подробностями семейной истории... вашего мужа, скажем так. Скажите, а он действительно существует? То есть, я не ставлю под сомнение, что есть некий мужчина из плоти и крови, его даже видела соседка, он намеревается сейчас приехать из Парижа... Удивительно, что его существования не отрицает даже Нина, а уж она-то в курсе всех семейных дел! Но... кто он? Ведь он — единственный наследник?

— Разумеется, Иван — его сын! — с негодованием ответила Ирина.

— Прочтите.

Но молодая женщина не протянула руки, чтобы взять предложенную ей справку из церкви.

Подождав несколько секунд, Александра вновь убрала бумагу в сумку.

— К чему ее читать? — произнесла художница. — Вы и так знаете, что там написано. Мне интересно другое: неужели вы, если пошли за этой справкой, и впрямь ничего до сей поры не знали?!

— Да о чем?! — На этот раз на лице Ирины было написано настоящее страдание, в голосе слышался бессильный гнев, какой, бывает, человек ощущает перед непреодолимыми обстоятельствами.

— О том, что ваш супруг — самозванец, скажем, — ответила Александра. Смятение собеседницы, которое та выказала, наконец придало художнице уверенности. — Иван, сын Виктора Андреевича и его супруги, — мертв, и об этом сказано в справке. Быть может, ваш свекор лишился способности отличать правду от лжи, и теперь Нина морочит ему голову наравне с неким мужчиной, с которым они сообща решили разделить наследство старика? Может быть, они только манипулируют вами? Вы-то сами разве понимаете, что происходит? Если бы понимали, не пошли бы в церковь за справкой, разве не так?! Я же видела, как вы были изумлены, когда прочли ее!

— Эта справка не играет совершенно никакой роли, — после паузы произнесла молодая женщина. — Вы придаете всему этому слишком много значения. Раз уж вы взялись разоблачать мошенников и аферистов, не мешало бы вам помнить, что у них тоже должны быть имена и документы. Для получения наследства, в частности. Так что, не сомневайтесь, нотариусу будут предъявлены все документы, которые подтвердят, что Иван — сын Виктора Андреевича! В том числе, его свидетельство о рождении.

— Поддельное? — Александра чувствовала, как гневная судорога перехватывает ей горло. — Где будет сказано, что Иван Викторович Гдынский родился в январе восемьдесят третьего года?

— Зачем? — пожала плечами Ирина. — Самое настоящее. И дата рождения там другая. Иван родился в декабре того же года. Двадцать четвертого декабря — раз уж вы так интересуетесь жизнью нашей семьи. — И добавила, пользуясь тем, что обескураженная Александра не нашлась с ответом: — Что тут непонятного? Их мать родила двоих сыновей в течение одного года! Они с покойным братом погодки, вот и все! Но Иван ничего не знал о том, что у него был брат... До самого последнего времени. Потому и послал меня в церковь, чтобы я навела справки. — И, торжествуя победу, добавила: — Да неужели вы думаете, что Нина не разоблачила бы меня в тот миг, как я появилась здесь, на пороге квартиры, если бы Иван не был настоящим сыном Виктора Андреевича?! А сейчас я прошу вас уйти: мне снова надо ехать в больницу, отвезти кое-какие вещи свекру.

Оглядевшись, молодая женщина взяла с кресла книгу и громко захлопнула ее, отчего из ветхого корешка на паркет посыпалась струйка рыжей трухи. Затем, демонстративно повернувшись к Александре спиной, принялась сворачивать клетчатый плед, висевший на спинке кресла.

Глава 11

— Ох, и хороша! — Этими словами встретил ее Стас, с которым Александра столкнулась на лестнице, едва войдя в дом. — Никто не помер?

Она была так растревожена, что едва обратила внимание на приветствие внезапно вернувшегося соседа. И только поднявшись по нескольким ступенькам, обернулась и без особого интереса спросила:

— Что-то ты вдруг рано объявился? Собирался вроде исчезнуть основательно!

— Да понимаешь, — с натужным смехом ответил Стас, — приятель вдруг все переиграл. Мы собирались вместе работать над одним проектом, для гостиницы, а он захапал все себе, меня согласился просто пустить в сараюшку, отдохнуть. А просто так прохлаждаться в Черногории и дышать чистым воздухом я не стану, сама знаешь! Здоровье мне поправлять ни к чему, его уже нет! — Он коротко хохотнул, словно гордясь своей беспечностью. — А сезон на носу, вот сейчас весь снег сошел, многие станут памятники заказывать. Хотя обрыдло все это кладбищенское великолепие, но что делать... Никто меня, кстати, не спрашивал?

— Приходил один обманутый муж, грозился тебя пришибить, когда вернешься! — не удержалась Александра, которую не так возмущали, как смешили бесчисленные и беспорядочные похождения соседа.

— С кладбища, что ли? — парировал скульптор. — Ты же знаешь, я поумнел — в последнее время утешаю только вдов... Хватит с меня мужей!

Он провел пальцами по багровому шраму, пересекавшему его высокий загорелый лоб, и Александра, знавшая о происхождении этого «украшения», которым скульптора наградил некий оскорбленный в своих чувствах супруг заказчицы, кивнула. Скульптор шагнул было вниз, но снова остановился:

— А все-таки, прекрасная соседка, что-то у тебя стряслось. Не обманешь. Лучше бы сказала!

— Ничего ровным счетом, — скрепя сердце, ответила Александра. — Пустяки, влезла не в свое дело... У меня-то все по-прежнему.

— По-прежнему! — буркнул Стас, не сводя с нее пристального взгляда. — Кому бы надо встряхнуться и уехать отсюда, так это тебе! Знаешь, я иногда думаю, что еще немного, и ты свихнешься на своем чердаке, среди хлама и привидений!

— Там всего одно-единственное привидение! — Александра наградила соседа бледной улыбкой. — Это я сама. Не обращай внимания, у меня все хорошо.

И, не оглядываясь, убыстряя шаг, стала подниматься по лестнице.

Поднявшись в мастерскую и прикрыв за собой дверь, она оглядела знакомые стены с неожиданной неприязнью. Слова, мимоходом произнесенные Стасом, оставили более глубокий след, чем она предполагала.

«А правда нужно уехать! Как можно скорее, как можно дальше!» — думала художница, бросая сумку на стол, отодвигая кружку с остатками холодного кофе, снимая куртку и подходя к одному из маленьких мансардных окон. Распахнув его, она с досадой окинула взглядом дома напротив. Те же стены, те же окна, многие годы подряд... Даже лица, мелькавшие порою в них, даже машины и прохожие в переулке, даже крадущиеся по своим делам коты — все было, казалось теперь, неизменным, и это постоянство, прежде дорогое, внезапно начало ее угнетать.

«Конец, больше я не отдам этой истории ни одной минуты своего времени! Теперь все силы направлю на то, чтобы заработать немного на первое время, набрать заказов, как делала прежде, и уехать в Европу! В Азию! В Америку, может быть! Подальше, подальше, и, может быть, навсегда! Как я живу?! Зачем я так живу? Никто ведь меня не связывает, никто не заставляет жить здесь, на чердаке, вдали от людей, словно я и есть самое настоящее забытое всеми привидение, которому придет конец, как только этот дряхлый дом снесут!»

Присев к столу, женщина спрятала лицо в ладонях. Она чувствовала себя бесконечно вымотанной, теперь ей было удивительно, как она могла посвятить семейству Гдынских несколько суток, порою забывая о сне, целиком отдавшись захватившей ее загадке, которую так и не удалось разгадать.

«И было бы из-за чего... Мало ли стариков на моих глазах завещали свое имущество неизвестно кому? Разве я вмешивалась? Я знакома с людьми, у которых на совести, у каждого, есть свое небольшое кладбище. Они “помогали уйти” тем, кто владел интересовавшими их коллекциями. Я все знала, как знали еще многие, и я молчала. Потому что это житейская жестокость, ежеминутная, окружающая нас, которой никому не избежать, потому что так уж устроен мир... А что здесь? Ничего криминального. Несколько родственников вокруг старика. Ну, ложь поголовная, клевета друг на друга, корысть... Кто-то победит, кто-то проиграет. Да и ниша, с которой все началось, гроша ломаного не стоила — дешевый материал, рядовое исполнение. Тоже мне, барельеф Кановы... А то, что мне показалось вдруг такой волнующей загадкой, на деле объяснилось просто — у Ивана был старший брат, умерший в младенчестве, о котором ему почему-то решили не сообщать. Только-то!»

Она опустила руки и сложила их на столе, словно для молитвы. Но Александра не молилась, а глядела прямо перед собой. Теперь она не видела опостылевшей вдруг обстановки.

«Но Ирина еще до получения справки из приходской книги знала о том, что “алтарь тристана” посвящен тому, кто давно умер! Она знала это, когда делала заказ Стасу! Это следует из ее собственных слов. Она тогда заявила, что делается он для ее мужа, но имела в виду его нынешние интересы, а вовсе не того покойного младенца, в чью память алтарь создавался изначально!»

Александра сжала руки в замок так крепко, что почувствовала боль в суставах пальцев. Она напрочь забыла о своем намерении забыть об этой истории. Да и возможно ли было это сделать? Ни одна из неразгаданных тайн не оставляла ее в покое, пока художница не находила к ней ключа.

«И вновь ложь! Она лжет все время, эта женщина с осанкой танцовщицы! Может быть, она и не танцовщица вовсе, если указала неверное место работы в Париже! Она могла быть кем угодно — все равно где горе мыкать, по ее собственному выражению! Она знала о первом Иване, так каким образом мог не знать об этом младенце ее муж?! Зачем бралась выписка?! Зачем они все время лгут?! Зачем скрывать место работы в Париже? Так старательно избегать визуальных контактов? Не прислать ни одного письма? Не позвонить Нине, чтобы она хоть узнала голос Ивана и успокоилась? Зачем менять номер телефона, чтобы она не могла позвонить в Париж сама? Делать по капризу Гдынского нишу, которая (Иван знал это!) давно разбита? Хорошо, старик мог забыть об этом, но ведь при нем находилась Нина! Она-то указала бы на это несоответствие! И зачем бы Нина взялась их проверять, если бы у нее не было подозрений, что они оба именно те, за кого себя выдают?!»

Эта мысль заставила женщину похолодеть. Она представила себе, как к ослабевшему старику, находящемуся на краю жизни, возможно едва различающему лица и осознающему реальность, приближаются в больничной палате двое — мужчина и женщина, объединенные общей целью: завладеть наследством.

«Хорошо, если приедет действительно его сын! А если Ивана давно нет в живых и Нина была права?! Если он безымянно сгинул в Париже, возможно, с пособничества Ирины и ее сообщника? А Ирина все это время умело маскировала его смерть, выступая в роли несговорчивого посредника между ним и отцом? Перед Стасом ей стесняться было нечего, вот она и проговорилась... Они могут внушить старику, что он видит именно Ивана, уехавшего три года назад. Но, могут сказать эти двое, Иван должен был вернуться по чужому паспорту, так как со своими документами у него неполадки. И старик... Переоформит завещание либо на него, либо на Ирину! Тем более, что Нины при этом уже не будет — ее заблаговременно сплавили, чтобы она не увидела лица приехавшего из Парижа «племянника»! Все это очень вероятно! Ведь ставка высока — квартира в центре, дача, возможно, остатки нераспроданной коллекции, за которые так уцепилась Ирина! Конечно, ей очень не по нраву пришлось, что Нина распродает ценности, чтобы оплатить лекарства больному! Причем, ни она сама, ни «Иван» не сделали попыток взять на себя эту заботу! А Нину выставили расхитительницей, воровкой! Нину... Как я не подумала, что продавал-то не сам Гдынский, а она!...»

Словно во сне, женщина поднялась из-за стола, подошла к чемодану, где хранился архив Альбины, щелкнула замками и, откинув крышку, перебрала все попавшиеся на глаза тетради в серых обложках. Художница помнила, что тетрадь, содержащую сведения за последние три года, положила сверху, и не ошиблась — та попалась в числе первых. Раскрыв ее, опустившись на колени, Александра листала страницы, вглядываясь в имена и фамилии, написанные четким почерком покойной подруги.

— Ткачук Нина Брониславовна!

Произнеся это имя вслух, она закрыла тетрадь, прижав страницу пальцем. Александра чувствовала сильное сердцебиение. Ее обуревало чувство, сродни радости и страху одновременно. На какой-то миг ей показалось, она не одна, — женщина словно ощутила дружеский привет, прикосновение протянутой на помощь руки.

— Спасибо, Альбина! — сказала она.

И, уже немного успокоившись, вновь раскрыла тетрадь и прочла все, что касалось сделки, совершенной два с половиной года назад. Закончив чтение, вновь закрыла тетрадь и подняла к потолку опустевший взгляд.

— Значит, Коровин... Эскиз декорации к балету «Конек-Горбунок»... К «Золотому петушку»... К «Хованщине»... К «Виндзорским кумушкам»...

Поднявшись с колен, прижав тетрадь к груди, она сделала несколько шагов по мансарде и остановилась, только упершись коленом в кресло. Придвинув его, Александра машинально уселась и вновь раскрыла тетрадь. Список проданного она запомнила наизусть немедленно — так напряжено было ее внимание, так воспалено любопытство. Но ей хотелось вновь увидеть строки, написанные почерком подруги.

«Никакие не пустяки, как уверяла Нина, очень серьезные вещи! Я могла бы их реализовать в течение одного дня. Да что там, нескольких часов! Ирина узнала о сделке и выставила Нину, связав ей руки, помешав распоряжаться наследством Ивана. Что бы ни осталось после этой разовой продажи, игра стоит свеч... Мошенники могли пойти на все, чтобы получить остальную коллекцию! Видала я, как человеку морочили голову или отправляли в мир иной из-за меньшего куша! А тут, похоже, две группы мошенников — Ирина со своим сообщником и Нина!»

В том, что остальная коллекция, в чем бы она ни заключалась, еще цела, Александра не сомневалась. Иначе, рассудила она, энтузиазм мошенников не был бы так велик. Сама по себе недвижимость была, конечно, лакомой приманкой, но художница чувствовала — на этот раз дело касается не только квартиры и дачи.

«Иначе, к чему было так возмущаться продажей Ниной нескольких "картинок" и вообще делать упор на этом и посвящать меня, постороннего человека, в детали? Если бы Ирина продавала что-то сама, она бы, напротив, молчала! А Нина, говоря о том, что продала несколько никчемных безделушек, как раз солгала!»

Смятение художницы нарастало. Она вскочила, положила тетрадь на полку стеллажа. На глаза ей попалась лежавшая рядом историческая монография, посвященная династии Капетингов. Приобретенная когда-то по случаю, за гроши, почти на вес, в составе книжной коллекции обедневшего любителя истории, книга стала занимать ее, когда зашла речь о Людовике Святом. Александра сразу же отыскала ее и прочла то немногое, что сообщалось о его сыне Тристане, графе Невера, умершем в Тунисе в одно лето с отцом, во время крестового похода. Ему было посвящено несколько строк. Прочим многочисленным детям короля, умершим в младенчестве или в раннем возрасте, и того меньше. У мальчиков хотя бы указывались точные даты рождения, поскольку дата была важна для возможных наследников престола, у девочек порой обходились без этой подробности, указывая лишь год рождения. Самым прославленным среди одиннадцати детей Людовика Девятого и Маргариты Прованской был Робер де Клермон, основатель династии Бурбонов. В возрасте двадцати трех лет на турнире в Париже он неудачно упал с лошади и от полученных травм головы потерял рассудок. Тем не менее он имел после этого шестерых здоровых детей и мирно скончался в возрасте шестидесяти одного года, утвердив династию, представители которой стали впоследствии королями Франции, Испании, Королевства обеих Сицилий, герцогств Парма, Лукка и Люксембург. О Тристане известно было лишь то, что он успел жениться за год до смерти. Детей юноша не оставил.

«Жан-Тристан, — уточнила про себя Александра, просматривая впечатляющий список детей короля. — А за три года до него родился еще просто Жан, тот умер в младенчестве. Когда появился следующий мальчик, к его имени присоединили модное имя героя рыцарского романа, гремевшего тогда по всей Европе. Но герой этот всем, кого любил и кто любил его, принес только несчастья... Я бы побоялась дарить сыну такое бремя, как имя умершего брата, имя самой печали. "В печали родила я тебя, печален первый мой тебе привет, и ради тебя грустно будет мне умирать. И так как ты явился на свет от печали, Тристан и будет тебе имя!" — говорит ему мать в романе. Так все же, этот "алтарь печали", или "Бегство в Египет", имеет некое отношение к некоему Тристану? Откуда он взялся, этот Тристан? Предположим, так назвала алтарь сама Мария Гдынская. Она была прихожанкой церкви Святого Людовика и, может быть, так же как и я, вскользь заинтересовалась биографией Людовика Девятого? Но это очень слабое основание — так называть нишу... Если это "алтарь печали", то название вполне оправдано, как выясняется. У нее только что умер первенец. Она была беременна вновь, но, видимо, депрессия не позволяла ей отвлечься от черных мыслей. И радость нового материнства ее не коснулась, раз она ушла в создание такой вещи, как "алтарь печали". И то, что второго сына также назвали Иваном, говорит о многом! Значит, первая потеря была очень тяжела, раз это имя не захотели оставить в покое. Но почему она его не крестила, когда семья приехала в Москву?»

В самом деле, это было необъяснимо. Мария умерла в начале апреля, когда ее сыну было полтора года. Семья вернулась в родительскую квартиру, в Кривоколенный переулок, до церкви было рукой подать — десять минут пешком. Что помешало молодой матери окрестить второго сына, как и первого?

«Может быть, перенесенное горе начисто уничтожило ее религиозность, — предположила Александра. — Так случается иногда, а как оборотная сторона этой медали — сумасшедшая религиозность. Может быть, как ни ужасно это звучит, второй сын уже не имел для нее такого значения, как первый... Может быть, она слишком много любви и надежд вложила в первого ребенка и удар был так силен, что второму уже ничего не досталось... Не случайно ведь на барельефе изображена Мария, у которой на руках нет младенца!»

Уже во второй больнице, куда она дозвонилась, ей дали нужную справку.

— К Гдынскому? — осведомился женский голос в трубке. — Он только что поступил, состояние тяжелое. Конечно, нельзя.

— Он в сознании? — с надеждой спросила Александра.

— Таких сведений у меня нет. Если хотите, приезжайте завтра в первой половине дня, поговорите с завотделением. Или в часы посещений...

Памятуя свой недавний опыт, связанный с посещением больных — Альбины и отца, — Александра поблагодарила и отложила замолчавшую трубку. «Бесполезно туда ехать сейчас, тем более он первый день в больнице. Сегодня воскресенье, и наверняка там только дежурный врач... Со мной и говорить никто не будет. Дай бог, чтобы завтра ему стало лучше!»

Она расчистила стол и приготовила его для работы, расставив и разложив на краю, покрытом клеенкой, бутылки с растворителями, пачку ваты, ведерко для использованных комков. На мольберте уже неделю ждала своей очереди картина, взятая на реставрацию. Принимаясь снимать толстый старый слой лака, от которого картина превратилась в черно-бурое маловразумительное месиво, художница в сотый раз спросила себя, таким ли когда-то ей представлялась своя жизнь в искусстве.

«Чужие картины, большей частью малозначимые, безымянные, и только... И никогда, смывая старый лак, я не ожидаю встретить под ним нечто удивительное, что тронет сердце, поразит воображение. Куда чаще потрясения меня ждут, когда я имею дело с историями хозяев картин. Вот где настоящие интриги, опасности, тайны, которые предстоит вызволить из-под наслоений лжи, умолчаний, взаимных счетов...»

Чтобы взять зазвонивший телефон, ей пришлось сорвать с правой руки запачканную поплывшим лаком перчатку. Звонил Игорь.

— Сдала? — осведомился он первым делом.

Александра не сразу поняла его вопрос — сама по себе ниша ничуть ее не занимала, и она о ней мало думала. Услышав после паузы утвердительный ответ, Игорь насторожился:

— А почему голос загробный? Ниша не понравилась? Вернуть захотели?

— Да заказчица ее даже не развернула, — вздохнула Александра. — Не беспокойся, не вернет. Ей все равно.

— Кто вас, женщин, поймет?! — игриво вопросил Игорь. — Вы сами себя не понимаете!

— На этот раз, напротив, все вполне ясно... — проговорила Александра. — И мотивы, по которым ниша была заказана, и мотивы, по которым она вдруг сделалась не нужна. Дело на редкость простое.

— И в чем же проблема?

— В наследстве.

Этот краткий ответ вполне устроил Игоря. Разом потеряв интерес к нише, он предложил сходить в ресторан, отметить удачную сдачу заказа.

— Так тебе никаких заработков не хватит, — иронично заметила женщина. — И потом, как это согласуется с твоим желанием вскоре венчаться? Пригласил бы лучше супругу, глядишь, помирились бы!

— Отлично согласуется! — возразил Игорь. — Кажется, все понятно, я собираюсь сделать серьезный шаг, чтобы сохранить семью... И понятно, что монахом-отшельником меня это не делает, я же не даю вечные обеты священства!

— Так-то оно так... — после паузы ответила Александра. — Но, знаешь, к мимолетным развлечениям я не расположена, а к серьезным отношениям, пусть даже с тобой, не готова. Увы...

Остаток разговора был скомкан. Наконец у нее не осталось сомнений, какие именно планы лелеял скульптор в ее отношении. Отложив замолчавшую трубку, она горько улыбнулась.

«Собственно, на что я могу рассчитывать? На какую большую любовь? Человек, по крайней мере, прямо говорит, что имеет намерение немного развлечься, без всяких обязательств. Да и нужны ли мне эти обязательства? Смогу ли я достойно на них ответить? Опыт двух браков показал, что я не могу свить гнездо, не в состоянии никого сделать счастливым. А может быть, я сама подсознательно искала в мужья людей талантливых, но несчастных, наделенных Божьими дарами, но обнесенных дарами простого человеческого счастья...»

Очередной звонок застал ее за расчисткой подписи художника. Это всегда был самый волнующий момент реставрации. Ей случалось слышать, как при отмывке безымянной картины из-под снятых слоев лака и грязи вдруг возникала подпись известного мастера... Она с досадой сорвала перчатку и взяла телефон.

Голос Нины художница рассчитывала услышать в последнюю очередь. После той внезапной вспышки ярости, которой завершилась их недавняя беседа, Александра полагала, что дальнейшее общение невозможно. Но Нина говорила спокойно, дружелюбно, как ни в чем не бывало:

— Добрый день! Я вас не разбудила?

— Да уж скоро вечер... — недоуменно ответила Александра.

— У вас, творческих людей, никогда нельзя знать, день на дворе или вечер! — засмеялась Нина. — Хорошо, что вы не спите. Я хотела спросить: удалось что-то узнать про Ивана? Вчера вы говорили, что пытаетесь его отыскать в Париже...

— Да, но...

Александра, замолчав на полуслове, медлила. Она никак не могла решить, стоит ли ей дальше откровенничать с кем-либо из этих «хищниц» — так она про себя называла Ирину с Ниной. И все же из этих двух женщин Нина вызывала у нее меньшие опасения и подозрения. «По крайней мере, она действительно та, за кого себя выдает, — сестра покойной супруги Гдынского!»

— Найти его в театре не удалось, — произнесла наконец Александра. — Он там никогда не работал.

— Вот ведь... — ахнула в трубку Нина. — Как это понимать?

— Не знаю. Иван сам вам говорил, что работает в этом театре, или вы узнали об этом со слов Ирины?

— Это как раз сказала Ирина... — протяжно, почти со стоном ответила женщина. — Я-то никогда конкретно не интересовалась его местом работы, потому что все равно не разбираюсь в этом. Если он и упоминал какой-то театр, у меня в одно ухо вошло, в другое вышло.

— Значит, Ирина лгала с самого начала, — с тяжелым сердцем признала Александра. — И с тех пор, как она появилась, все контакты с Иваном были прерваны... Это в самом деле может быть очень опасно!

— О чем я и говорила Виктору! — победоносно воскликнула Нина.

— Вот почему очень подозрительно, что она старается избавиться от вас накануне приезда этого самого Ивана... Кем бы он ни был! Ведь Виктор Андреевич в тяжелом состоянии, и не факт, что сможет узнать сына. А вы сразу разоблачите подделку.

В трубке послышался протяжный тяжелый вздох. После паузы Нина уважительно произнесла:

— А знаете, я ведь до этого не додумалась... Я думала, конечно, что с Иваном могло случиться несчастье... Хотя надеялась на лучшее, конечно. Виктор не позволял мне наступить на горло невестке. А когда она сегодня сказала, что Иван приедет, и сразу вслед за этим велела мне убираться... Ну, я просто подумала, что я тут лишняя, они ведь боятся, что мне коечто перепадет по наследству от Виктора. И в самом деле, раз Иван едет, мне там нечего делать. А выходит, вот что...

— Это только мое предположение! — с опаской уточнила Александра.

— Да что там, предположение! — возразила Нина. — Наверняка все так и есть. Просто я до такого не додумалась... Выдать кого-то за Ивана, пользуясь состоянием его отца...

Художницу поразило, что тайные опасения, высказанные ею вслух впервые, сразу нашли полное понимание со стороны непосредственной участницы драмы. «Значит, она была готова принять такую невероятную версию! Хотя почему невероятную... Из-за наследства изобретаются и не такие комбинации... Благо старик болен и потерял слух, лишился возможности контролировать ситуацию... Каждый хочет урвать свой кусок! Нина продала Коровина, Ирина желает заполучить все остальное... Но как она практически представляет себе эту комбинацию? А если старик будет в сознании? А если даже нет — завещание сделано на Ивана и другой человек не сможет вступить в права наследства. Если он только удивительно на него похож и здесь не столкнется с кем-то, кто знал того, первого...»

Эта мысль уколола Александру. Опомнившись, она торопливо спросила молчавшую трубку:

— Скажите, вы знали, что у Ивана был старший брат, который умер совсем крошечным? Не дожил до месяца?

— Конечно знала, — без запинки ответила Нина. — Я ведь и присматривала за ним первые дни, пока Маша была слаба. Да и до самого конца была рядом. Страшное горе... Вам Ирина сказала?

— Я узнала сама... Случайно. Обратилась за справкой в церковь, где был крещен маленький Иван. В храм Святого Людовика Французского. Странно, как вы не знали, что ваша сестра была там крещена, ходила туда и крестила там первенца...

— Ничего странного. Сама я к этой церкви никакого отношения не имею. Родители относились к нам по-разному, — сухо ответила Нина. — То, что делалось для Маши, для меня считалось необязательным... Но я не в обиде, что там.

Однако было ясно, что тема ей очень неприятна. Александра, не желавшая трогать больное место, все же решилась спросить о том, что ее волновало весь день:

— Вероятно, Мария и сама относилась к своим сыновьям по-разному? Старшего Ивана крестила, а младшего почему-то нет?

— А вы разве не слышали: «Грехи отцов падут на головы их детей...»? — отрезала Нина. — Так все и катится, из поколения в поколение, и конца этому нет. Но все это совершенно неважно. Главное, не дать мошенникам завладеть наследством Виктора! Кто знает, они ведь могут пойти до конца, если старик заподозрит обман!

— Что вы имеете в виду? — обмирая, спросила Александра.

— Бросьте, а то непонятно... Он так слаб! Находится в отдельной палате, Ирина вдруг сделала широкий жест. Я уже все узнала, звонила по всем больницам, нашла ту, где он лежит. Пускают только ее. Ну, пережмет капельницу... Он же еле дышит.

— Так надо срочно туда ехать! — взволнованно воскликнула художница.

Но Нина не разделяла ее энтузиазма:

— Надо, но горячку пороть ни к чему. Сунемся мы туда, а там Ира... Конечно, можно сесть с другой стороны кровати и ждать, кто кого пересидит. Но вы там совершенно лишняя. Я вам позвоню, как только что-то будет известно. Спасибо за вразумление! Я-то успокоилась, а надо было встревожиться!

Повторив свое обещание непременно позвонить, как только удастся попасть к больному, Нина завершила разговор очередным изъявлением благодарности.

Когда Александра в очередной раз сняла перчатки и подняла взгляд на окна мансарды, за ними стояла темнота. Плечи и шея художницы ныли от многократного повторения однообразных движений — смочить ватный комок растворителем, осторожно промокнуть очередное место на картине, снять грязь и старый лак, повторить операцию... Полотно было расчищено окончательно. Едкий запах растворителя заполнил мастерскую, несмотря на ее обширную площадь. Поднявшись из-за мольберта и распахнув все окна поочередно, она остановилась возле последнего, вдыхая теплый, почти летний ночной воздух.

Она не чувствовала никакого облегчения от того, что Нина взяла на себя все заботы о том, чтобы умирающего старика не обобрали мошенники. Напротив, Александра терзалась нарастающим беспокойством, смутным и тем более непреодолимым. Художница напрасно уговаривала себя, что никто лучше

Нины не сможет разоблачить мошенников. Что она сделала все возможное и невозможное, чтобы разъяснить ситуацию... Женщина чувствовала, как это неубедительно звучит. Слишком многое осталось недосказанным, остался страх, осталась тайна, на которую так и не удалось пролить свет.

«Неужели я права, они избавились от Ивана?! — повторяла про себя Александра. — Вот что главное... Это, а вовсе не квартира, дача, коллекция... И кто такая Ирина? Возможно, все, что она рассказывала об их встрече в Париже, о внезапно вспыхнувшей любви, о свадьбе, — ложь. То-то мне показалось, что в этой истории многое притянуто за уши. Но тогда кто она такая и откуда взялась на его пути? Сам-то он, вне всяких сомнений, отправился работать в Париж, хотя бы это точно известно! И сгинул там, по всей видимости... Но что я еще могу узнать? Каким образом?»

В садике на углу переулка хрипло переругивались вороны. Перепархивая с ветки на ветку, они на миг появлялись в свете только что вспыхнувшего фонаря. Птиц явно что-то встревожило. «Цирцея опять загуляла. — Александра с тревогой всмотрелась в тени между деревьями. — Запереть ее невозможно, тогда следующее исчезновение станет последним. Если так переживаешь из-за кошки, которая решила гулять сама по себе, что должен чувствовать родитель, который не имеет известий о своем ребенке?»

О чем бы художница ни думала, ее мысли неизбежно возвращались к семье Гдынских. «Лгут они обе! Ирина даже не смущается, когда я разоблачаю ее ложь. Но Нина тоже ведь врет, хотя бы в той части, которая касается ценности проданных ею вещей! А это ее странное заявление, будто она не имела понятия о том, что Мария была прихожанкой церкви! За ребенком ухаживала после роддома и вплоть до смерти, а о том, что его успели крестить, не знала? И что в этой семье за странный обычай — крестить только первенцев? Никогда о таком не слышала! Наследство, землю, титул действительно часто передавали только первенцу, чтобы не дробить состояние и герб. Но чтобы распространять подобные вещи на таинство крещения...»

Почувствовав голод, она порылась в шкафчике, заменявшем ей буфет и холодильник, и обнаружила только несколько сухариков и пакет гречки. «Неудивительно, что Цирцея предпочитает угощаться у знакомых продавщиц в окрестных магазинах!» Накинув куртку, женщина заперла дверь мастерской и спустилась по неосвещенной лестнице, легко двигаясь наугад, как кошка, свободно ориентирующаяся в темноте.

На площадке третьего этажа, рядом с мастерской скульптора, она заметила некое движение. Александре почудилась женская фигура, выступившая вдруг из тени и вновь пугливо скрывшаяся. Художница даже не остановилась: она привыкла к тому, что Стаса часто навещают подобные молчаливые посетительницы, которые избегают чужих взглядов. «Но однажды он допрыгается!» — сказала про себя Александра, ускоряя шаг, чтобы не смущать визитершу. Ей показалось, что женщина вот-вот намеревалась постучаться к скульптору.

Когда Александра возвращалась из магазина, запасшись всем необходимым и безуспешно поискав Цирцею в садике на углу, где та имела обыкновение встречаться с окрестными приятельницами, ей встретился выходивший из подъезда Стас. Женщина остановила его:

— Встретились вы?

— Пардон, ты о чем? — недоуменно ответил тот.

— У твоей двери стояла женщина... Разве она не к тебе?

— Милая, да если бы ко мне пришла гостья, я бы, наверное, не разгуливал в это самое время по улице, — резонно возразил скульптор. — Я весь вечер дома, и никто ко мне не постучался, к бедному...

— Но тогда... — пробормотала Александра, охваченная неприятным волнением, — что она здесь делала?

— Может, искала кого-то из прежних жильцов, — пожал плечами Стас. — Может, Сергея Петровича покойного. Знаешь, его клиенты до сих пор друг другу адрес передают, а так как дверь напротив, стучатся ко мне. Что касается реставрации красного дерева, тут ему равных не было... Большой был мастер, а сгубила его такая ерунда.

— Смотри, как бы и тебя не сгубила эта ерунда. — Александра принюхалась к запаху коньяка, наполнявшему свежий ночной воздух с каждым выдохом скульптора. — Ночевать не будешь?

— С каких пор тебя это волнует? — Стас медлил, вглядываясь в ее лицо. — Ты чего-то боишься?

— В общем, нет... — протянула женщина.

— Но не хочешь ночевать в доме одна! — кивнул скульптор. — Тебя так впечатлила дама под моей дверью?

— Нет, нет... — Александра покачала головой. — Знаешь, жизнь в нашем доме здорово закаляет тело и душу. И, уж конечно, никакая женщина не способна меня напугать, если это не твоя Марья Семеновна.

— Уехать бы тебе подальше отсюда, — после паузы произнес Стас. — Да и мне бы не мешало. Не навсегда, но надолго! А потом, когда мы вернемся и придем сюда, увидим, что нет этого дома, снесли его или перестроили... И все наше здешнее прошлое погибло... Сколько ты здесь торчишь?

— Четырнадцатый год, — ответила Александра, продолжая смотреть на темный провал подъезда. Он отталкивал и затягивал ее одновременно. Казалось, тьма, как непроницаемый взгляд, хранила некую тайну.

— Так пора и честь знать, я примерно столько же тут мучаюсь! — Стас говорил почти со злобой. — Надоело, впрямь уеду! Честное слово!

— Значит, я останусь последняя... — пробормотала Александра, делая шаг к дому.

Скульптор удержал ее за рукав куртки:

— Скажи, наконец, что случилось? Видела бы ты сейчас свое лицо!

— Ничего, — ровно, как во сне, ответила она. — Возможно, меня ждут наверху.

Стас, оставшийся снаружи, что-то проговорил ей вслед. Александра не слушала. Она вошла в подъезд, уже не сомневаясь в том, что женщина, встреченная у мастерской скульптора, ждала именно ее. С добром или со злом — художница не думала об этом.

Подъезд за годы стал ей знаком до мельчайших деталей и отдаленных уголков. В темное время суток он никогда не освещался, и передвигаться в нем можно было только с помощью интуиции. Александра так хорошо изучила скрипы, шорохи и постукивания, на которые был щедр ветшающий особняк, что без труда различала в темноте легкое дребезжанье неплотно пригнанного остатка стекла в окне, шелест крысиных лап по мраморным ступеням, тонкое посвистывание ветра в лестничном пролете... Если в темноте находился кто-то живой, это присутствие не оставалось для женщины незамеченным. Она мгновенно определяла человеческое дыхание среди прочих дуновений, отличала среди многочисленных теней самую плотную.

На площадке давно пустовавшего четвертого этажа мраморная лестница кончалась. В мансарду вела железная лестница — один гремящий пролет. Александра поднялась на две ступеньки и остановилась.

Наверху кто-то был — ее глаза, свыкшись с глубоким сумраком, различили тень у стены, возле самой двери.

Глава 12

«А ведь меня могут попросту убить, — подумала Александра, не сводя глаз со сгустка тьмы. — Цена вопроса велика... Я узнала что-то лишнее... Слишком ввязалась в это семейное дело. Нина ведь меня не защитит. Она преследует свои интересы и наверняка сейчас караулит больничную палату. А вот сообщник Ирины, кем бы он ни был, может быть, уже в Москве. А может, он никогда и не покидал столицы. В любом случае, Ирина должна была уже рассказать ему обо мне. О навязчивой одинокой женщине, которая отчего-то начала собирать справки и свидетельства об исчезнувшем Иване... Единственном наследнике, которому желал все оставить умирающий отец!»

— Это вы? — Женский голос прозвучал хрипло, говорившая едва справлялась с прерывающимся от волнения дыханием.

Тут же, немедленно, в темноте раздалось кошачье отрывистое мяуканье.

— Цирцея! — вырвалось у художницы. Включив извлеченный из сумки фонарик, больше для визитерши, чем для себя, она увидела в слабом луче Ирину. Кошка сидела у нее на руках.

— Это ваша? — спросила Ирина, гладя кошку, испустившую довольное урчание. — Я нашла мастерскую только благодаря ей. Спросить было не у кого... Сперва я поднялась к тому скульптору, который испортил нишу, но ведь вы жили вовсе не там... Мимо кто-то прошел, но я побоялась спросить о вас... Потом я увидела кошку — она поднималась по лестнице и мяукала. Я пошла за ней, ведь дом пуст, здесь, кроме скульптора, только вы, он сам мне сказал. Она пришла сюда и стала ждать. И я тоже.

Надтреснутый голос стих. Александра напрасно ждала объяснений, зачем потребовалось прилагать такие усилия, чтобы ее увидеть. «Что-то случилось!»

— Уже очень поздно, — осторожно произнесла Александра. — Я никак не рассчитывала, что ко мне кто-то придет.

— Виктор Андреевич умер.

После этих слов вновь повисла пауза. Теперь Александра не решалась о чем-то спрашивать. Сделав еще несколько шагов, она поднялась на площадку и вставила ключ в замок. Цирцея при ее приближении спрыгнула с рук гостьи и первой вошла в открывшуюся дверь.

— Я сюда прямо из больницы... — продолжала Ирина, входя и осматриваясь.

Она выглядела обессиленной, однако, взглянув на стул, испачканный красками, сесть не решилась. Молодая женщина осталась стоять, машинально проводя рукой по борту легкого плаща, словно пересчитывая пуговицы.

— Он скончался полтора часа назад. В полном сознании. Я уже забрала вещи...

Взглянув на пакет, который она держала в другой руке, Ирина, будто очнувшись, поставила свою ношу на пол. Александра тем временем готовила еду для кошки. Цирцея, однако, не казалась голодной. Едва прикоснувшись к миске, она, как завороженная, уставилась на гостью.

— Примите мои соболезнования, — сказала Александра, когда затянувшееся молчание стало ее тяготить. — Значит, сына он так и не увидел?

— Нет... — встрепенулась Ирина. — Иван еще в Париже.

— Теперь ему нет необходимости торопиться — наследство все равно получит. — Александра старалась сдерживаться, но в ее голосе, против воли, звучали саркастические нотки.

Ирина посмотрела на нее долгим, загадочным взглядом. После паузы она, словно с неохотой, произнесла:

— Нет, не так. В последний момент Виктор Андреевич все переоформил на Нину. Она пришла к нему в палату вместе с нотариусом, наговорила страшной чепухи, и он сделал дарственную на все свое имущество. Буквально в последние часы жизни.

Александра придвинула стул и села. Она не чувствовала радости оттого, что мошенничество не состоялось, и тем более не испытывала страха перед этой странной молодой женщиной, которая не проявляла особенного горя. «Может быть, она в шоке, что имущество уплыло из-под носа? — пыталась догадаться Александра, следя за тем, как гостья, тронувшись с места, бесцельно прохаживается по мастерской. — Как будто спит наяву...»

Цирцея неотступно следовала за Ириной, снисходя иногда даже до того, чтобы забежать чуть вперед и подождать гостью, чтобы показать свои владения. Казалось, в молодой женщине было нечто, заворожившее ее. Остановившись, Ирина обвела взглядом стены, задержавшись на нескольких потемневших полотнах, сюжетов которых уже невозможно было понять.

— Что ж, имущество осталось в семье, и это хорошо, — заметила Александра. — Возможно, когда Иван вернется-таки домой, Нина окажет ему поддержку. Ведь она унаследовала все! Кстати, можно узнать почему? И чем я, собственно, обязана вашему визиту, ведь вы еще сегодня, несколько часов назад, изъявили твердое желание никогда больше со мной не общаться?

Все время, пока художница говорила, гостья смотрела на кошку. Подняв потемневший взгляд, Ирина негромко, будто про себя, произнесла:

— Видите, она от меня не отходит? Говорят, они чувствуют, когда кто-то умер...

— Очень возможно, — передернула плечами Александра, внезапно ощутившая озноб. Поднявшись, она прошлась вдоль окон, закрывая их одно за другим. — Ночи еще холодные... Конечно, кошки все чувствуют. Так зачем вы ко мне пришли?

— Скажите, что вы обо мне думаете?

Вопрос был настолько неожиданным, что художница некоторое время молчала. Затем развела руками:

— Да разве это важно?

— Нет, мне нужно знать! — настаивала Ирина. — Вы считаете меня мошенницей? Преступницей? Убийцей, может быть?

— Общались с Ниной? — поняла Александра. — Знаете, вы меня сегодня просили перестать впутываться в ваши семейные дела. И я решила, наконец, так и поступить. Поэтому отвечать считаю лишним. И уже очень поздно.

— Я понимаю, вы меня презираете! — Зазвеневший голос Ирины удивил Александру. Всмотревшись в слабо освещенное лицо молодой женщины, она обнаружила, что та плачет. — Но если бы вы знали, что наделали... Конечно, Нина ничего ему не отдаст. Она одна получит все!

— А кто же должен был получить имущество, если Ивана рядом нет? — не выдержав, повысила голос Александра. — Вы?!

— Да, я... — отвернувшись, Ирина вытерла слезы. — Так было задумано. А теперь ему не достанется ни гроша. И все благодаря вашим стараниям. Кто вас просил вмешиваться?!

— А кому все досталось бы, если бы я не вмешалась?

— Ивану же! — воскликнула молодая женщина.

— Вам! Это я уже поняла. Существует ли Иван? Жив ли он?

— Вот... — Ирина с искаженным лицом повернулась к ней. — Именно это Нина на полном серьезе и говорила умирающему! А ведь знала, прекрасно знала, что Иван жив, что все это бред! А я сразу поняла, откуда ветер дует, когда она заговорила, что Иван никогда не работал в том театре! Вам-то какое дело, где он работал... Зачем вы все испортили! Я должна была получить имущество, для него! Или он сам, по завещанию, которое уже имелось!

Повисла тишина, нарушаемая лишь утробным урчанием Цирцеи. Кошка, оставив гостью в покое, принялась наконец за еду.

— Так бы и случилось, вероятно, если бы вы не лгали слишком часто, — заметила Александра. — Это, в конце концов, насторожило меня, заставило наводить справки. Вы все время говорили неправду. Даже если в главном не врали, как вам можно было верить? Человек находился при смерти...

— Дались вам эти справки! Какая там правда! — с горечью ответила Ирина. — Ну, вот эти картины, у вас на стенах... Чьи они?

— В каком смысле? — Художница, обескураженная сменой темы, не сразу собралась с мыслями. — Мне их принесли на реставрацию.

— Нет, кто их авторы?

— У этих двух, — Александра указала поочередно на те, что висели особняком, — авторы известны. Это пейзажист и маринист, русский и итальянец. У последних трех авторство сомнительно.

— Хорошо! — кивнула молодая женщина. — А вот, предположим, если вы в процессе реставрации начнете задаваться всякими вопросами, подозрениями, наводить справки и вдруг обнаружите, что авторы этих первых двух картин — совсем не тот пейзажист и не тот маринист. Это сделает счастливее их владельцев?

— Ну, знаете... — Александра едва не потеряла дар речи, настолько ее ошеломило это сравнение, сделанное совершенно простодушно. — Если вы считаете, что для отца все равно, сын или кто другой ему наследует, тогда... Вы просто не понимаете, что такое родство, любовь, привязанность.

Ирина выслушала отповедь с непроницаемым лицом. Слезы высохли, к молодой женщине вернулась былая самоуверенность. Она покачала головой:

— Вы меня неправильно поняли. Я говорила вовсе не о родстве, а только о наследстве. О том, что Виктору Андреевичу не так уж важно было, кому передать наследство, мне или Ивану. Это ничего бы не изменило! А вот дарственная Нине — это катастрофа! Теперь Ивану, в сущности, остается вернуться только на похороны и снова уезжать, теперь уже навсегда. И во всем виноваты вы!

— Послушайте! — Александра, окончательно потеряв терпение, в свою очередь, указала на картины. — Если бы я обнаружила, что авторы этих картин вовсе не художники, заслужившие себе имя и положение, а современные делатели фальшивок, и сообщила об этом владельцам, как вы думаете: это было бы для них важно?!

— Иван — не фальшивка!

— То, что окружено ложью, как правило, является фальшивкой, — возразила художница. — Конечно, вам неприятно это слушать, но ничего другого я сказать не могу. Понимаю, что вы разочарованы, вам больше не придется вернуться в тот дом... Нина наверняка поступит с вами точно так, как вы поступили с нею, — вышвырнет вон!

Последние слова против ее воли прозвучали злорадно. Но Ирина отреагировала странно. Она остановила на Александре загадочный долгий взгляд, в котором трепетала невысказанная мысль. Тут были и печаль, и горький упрек, и безнадежность... Не было лишь алчной злобы, которую рассчитывала встретить в нем художница. Ирина пересекла комнату, молча открыла дверь и, не оглядываясь, скрылась. Когда дверь затворилась, Цирцея подняла голову от опустевшей миски и отрывисто мяукнула, задавая вопрос.

— Да, моя дорогая, — художница склонилась и погладила черную спинку, которую кошка немедленно выгнула горбом. — Хотя она тебе, неизвестно почему, и приглянулась, ей у нас не понравилось. Она к нам вряд ли еще когда-нибудь придет.

Утро понедельника неожиданно принесло отличные новости. Александру разбудил звонок старой знакомой, которая одно время часто пользовалась ее услугами, приобретая на аукционах картины и рисунки обожаемых ею экспрессионистов. В последнее время они не общались, художница не задумывалась даже о том, в Москве ли та до сих пор. Както Наталья завела речь о том, что планирует переехать в Европу. Оказалось, свое намерение она осуществила.

— И теперь я парижанка! — В голосе Натальи, слегка хриплого, но приятного тембра, чувствовалась улыбка. — Так что, милости прошу в гости!

— Да я рада бы, всей душой, но дел там никаких нет, а ездить просто так финансы не позволяют! — искренне ответила Александра.

— Так я тебя делами и прошу заняться! Ты понимаешь, моя коллекция вся в Москве. Теперь, когда я тут окопалась, мне нужно устраиваться заново...

Часть коллекции, дорогую ее сердцу, Наталья желала привезти к себе, на новое место жительства. Другую часть, более обширную, — продать.

— Нужно уже более реально смотреть на вещи, — объясняла она. — Деньги необходимы, а кое с чем я могу спокойно расстаться. Конечно, жаль... Но переживу, думаю.

— Очень здравый подход! — одобрила Александра. — Никогда не была на стороне коллекционеров, которые умирают с голоду, вышвыривают на улицу родню, мучаются от нелеченных болезней, но не желают расстаться с самым пустяковым рисуночком, на который за много лет ни разу не взглянут!

— Так ты мне поможешь?

Договорились быстро. Александра должна была посетить квартиру Натальи, где жила ее дочь с мужем, навести, согласно указаниям коллекционерши, порядок в ее собрании. Упаковать и, соответствующим образом оформив, отослать часть картин в Париж. Другую часть выставить на продажу. Работа предстояла большая, и Александра мысленно поблагодарила судьбу за такую удачу: в последнее время ее финансовые дела сильно пошатнулись.

— Но сперва привези коллекцию, — попросила Наталья. — Мне за нее страшновато, понимаешь? Я хочу, чтобы ты ее сопровождала. Само собой, все расходы оплачиваю. Сможешь это сделать?

— Смогу ли я приехать в Париж за твой счет? — шутливо ответила Александра. — Ты оглянуться не успеешь, я уже буду у тебя. Интересно, что я в последние дни часто думала о Париже, даже наводила какие-то справки там... Все не случайно!

И собеседница полностью согласилась с нею в том, что случайностей в этом мире нет вообще.

Одна удача тянула за собой вторую: когда Александра, чрезвычайно воодушевленная, собиралась ехать на квартиру к Наталье, в дверь постучал человек, который уже полтора года был ей должен небольшую сумму. Это был старый приятель покойного мужа, тоже художник. Сильно пьющий и неустроенный, он вечно сидел без денег, и художница не ждала, что ей вернут долг. Она привыкла к тому, что знакомые мужа, хотя он был десять лет как мертв, появляются на ее пороге, по старой привычке. Александра, если была в состоянии, подавала им небольшие суммы — именно подавала, как милостыню, так как долг подразумевает отдачу. И вот случилось почти невероятное: Игнат, сильно исхудавший, но трезвый и чисто выбритый, переступил порог мастерской и, смущаясь, вручил ей несколько купюр. От неожиданности она растерялась и попыталась вернуть деньги. Мужчина обиделся:

— Я не нищий, ты зря... Возьми, не помню, сколько их держал... Чудо, что вообще вспомнил! Знаешь, все, что было «до», для меня почти не существует...

— До того, как ты бросил? — догадалась Александра.

— Ну да... Полгода уже в себя прихожу. Вот, вспомнил про тебя. Если я брал больше, скажи, занесу.

Александра, засмеявшись, уступила его просьбе и пересчитала деньги.

— Столько и брал, — успокоила она Игната. — Огромное спасибо, что отдал. Мне они не лишние. А удобный ты человек, я ведь могла сказать, что ты у меня одолжил тысяч сто! И ты бы поверил?

— Да ни в жизнь! — отмахнулся гость. — Откуда у тебя возьмутся сто тысяч?!

...Наслаждаясь весенним теплом и упругостью сухого асфальта под ногами, она шла к метро, сперва расстегнув молнию на куртке, а потом вовсе сняв ее и перекинув через руку. «Как мало нужно для счастья! И как много! Только что, несколько часов назад, мне казалось, что я провалилась в черную яму, настолько меня удручали все эти скорпионьи драки... Нет ничего тяжелее, чем наблюдать, как вокруг умирающего человека копошатся мошенники, аферисты и просто алчные родственники, которым нет дела до его страданий. И вот я счастлива: меня ждет отличная работа, Париж, глоток забвения всех моих неприятностей... Но... почему "алтарь тристана"?»

Последняя мысль, случайная, заставила ее вздрогнуть. Сияющий день разом померк. «Старик так и не увиделся с сыном. Что он сказал, когда мы встретились впервые? "Кара Божья!" Он решил, что сын мертв, так же как мертв первенец... Не иначе! И впрямь, Господь покарал его... Умереть, не зная, жив твой сын или мертв... Что ему наговорила Нина? Вероятно, убедила в том, что Ивана уже нет, раз дарственная была вдруг составлена на нее. И говорила-то она с моих слов, значит, косвенно и я виновата в том, что старик умер непримиренным, в тоске и страхе... Да, но что изменилось бы, если бы я смолчала? Иван, если он подделка, не появился бы перед ним все равно. Гдынский оставался в ясном сознании до самой смерти. Иван настоящий приехал бы давно, я уверена! Ирина — мошенница, и я помешала ей хотя бы завладеть имуществом. Ну, а Нина... Нина воспользовалась правом сильного — в этой ситуации она одна была безупречна. Она являлась той, кем была, и не пыталась выдать себя за кого-то еще. Только потому ей и досталось наследство. Она была подлинником, если уж использовать метафору Ирины. Остальные — подделками или сомнительными экземплярами! Вот Иван-то, я думаю, теперь не появится! Перед кем же ему появляться? Перед Ниной?! Вот этого-то им и не хотелось ни в коем случае, иначе зачем нужно было устранять близкую родственницу в последние часы жизни Гдынского?!»

Внезапно очнувшись, она обнаружила себя в Кривоколенном переулке. Двинувшись с самого начала не к станции «Китай-город», а к «Тургеневской», Александра обосновала это тем, что оттуда она сможет доехать до дома Натальи без пересадки. Но сворачивать в переулок, в сторону от метро, вовсе не было надобности. Задумавшись, женщина шла туда, куда вела ее тайная тревога. Казалось, загадки были решены, и все же самая темная сторона тайны осталась неосвещенной, недоступной пониманию, как обратная сторона Луны, всегда обращенной к земле одним и тем же непроницаемым ликом.

Возле знакомого дома два грузовых фургона почти полностью перекрыли движение в узком, изогнутом переулке, хотя они и въехали на тротуар. Один фургон уже запирался и готовился отъезжать, в другой только начинали грузить мебель. На тротуаре стояли картонные коробки. Подойдя, Александра бросила взгляд на одну из них, приоткрытую. Свертки из тряпья и газет, обрывки оберточной бумаги, сквозь которые виднелись тускло поблескивающие бока старых кастрюль...

Знакомый низкий голос окликнул Александру по имени. Оглянувшись, она увидела за спиной Нину, прижимавшую к груди стопку тарелок.

— Вы здесь? Помогите-ка...

Она указала взглядом на раскрытую коробку, и Александра, отогнув крышку, помогла уложить туда посуду. Выпрямившись, Нина с хлопотливым видом огляделась, отряхнула руки и поторопила грузчиков, замешкавшихся с погрузкой массивного комода, почерневшего от времени:

— Я говорила, быстрее! Где третий?

— Наверху... — глухо раздалось из кузова грузовичка.

— Наверху... Хоть разорвись! — Нина обернулась к Александре.

Ее квадратное лицо с грубыми, почти мужскими чертами раскраснелось. Темные глаза, ушедшие под низкий лоб, смотрели бессмысленно, как у человека, измученного грудой навалившихся разом забот. Художница взглянула на дверь подъезда, распахнутую настежь и подпертую кирпичом, — оттуда как раз появился третий грузчик, волокущий по ступеням огромный мешок, состроченный из старых портьер.

— Осторожнее! — прикрикнула на него Нина.

— Да там тряпки...

— Тряпки... Не мусор все же!

Мешок тоже был погружен, вслед за комодом, и все трое грузчиков отправились в подъезд. Нина устремилась за ними, на ходу бросив оторопевшей Александре:

— Не последили бы вы за машиной? Одну минуточку... Я ведь тут одна!

Художница осталась рядом с грузовичком. Она едва осознала обращенную к ней просьбу, оставшись на месте больше от изумления. «Уже переезд? — Ее мысли путались, обгоняя друг друга. — Так спешно, ведь Гдынский умер только вчера! Но вещи увозят, а не привозят, значит, Нина не переезжает сюда? Распродает имущество?»

Ответы на свои вопросы она получила, когда Нина вновь появилась в сопровождении грузчиков. Теперь грузили длинные книжные полки. Женщина остановилась рядом с Александрой, по-наполеоновски скрестив на груди коротенькие крепкие руки, усыпанные веснушками.

— Очищаю квартиру, — отрывисто сообщила Нина Александре, хотя та ни о чем не спрашивала. — Срочно! С ума я сойду. Да еще похороны послезавтра. Все я одна!

— А зачем вывозите вещи?

— Как зачем? Продаю.

— Вещи или...

— Вещи на дачу пока — мусор к мусору, как говорится! Дача сама по себе гроша не стоит, домик гнилой, земли мало и далеко, ехать неудобно. Квартиру освобождаю. Соседи покупают, но условие поставили, чтобы я за свой счет все вывезла.

— Однако... Как оперативно! — рискнула заметить Александра.

— Ну, а чему удивляться? — Нина впервые взглянула на нее осмысленным взглядом. Внимательный, бестрепетный, жесткий, он невольно внушал некоторую робость. — Они давно на эту площадь зарились. Пока я тут жила, мне проходу не давали: будем продавать или Иван, когда вернется, сам станет жить? Мне эта квартира даром не сдалась. Воспоминания не дороги, счастья я тут не видела... Пусть берут, кому надо. Я устроюсь иначе. Подальше отсюда!

Последние слова женщина произнесла в сердцах, словно споря с кем-то невидимым и враждебно к ней настроенным.

— Так Иван приедет на похороны или нет? — спросила Александра, внутренне содрогнувшись.

Вид разоряемого гнезда всегда действовал на нее тяжело, она привязывалась даже к неуюту и случайному месту. Нина избавлялась от родительской квартиры с таким хладнокровием, словно это было чужое жилье.

— Откуда мне знать? — Нина смерила ее ироничным взглядом, углы ее рта тронула улыбка. — Вы же сами считаете, что его нет в живых!

— Но это была только моя версия!

— Вот и поглядим. Побоится явиться мне на глаза — значит, вы оказались правы.

— А Ирина? Она уехала?

— Здесь больше не появлялась, — сквозь зубы ответила Нина. — Я-то ее не гнала, не то что она меня! Нет совести, совсем нет... Накричала мне что-то про своего ненаглядного Ваньку, как безумная, рванула дверь и пропала из палаты... Больше не виделись. Не думала я, что у нее настолько голова им занята... Прямо не упомяни... Прямо не тронь его!

— Так может, она действительно его жена? — У Александры ослабели колени.

Она вспомнила, с каким искренним чувством Ирина говорила об Иване в первую их встречу, с какой тревогой спрашивала ее мнения: могло ли сохраниться неизменным его чувство после двух лет разлуки?

Теперь Нина засмеялась открыто, в голос, так громко, что грузчики, возвращавшиеся в подъезд, остановились. Она отослала их прочь повелительным жестом, словно барыня замешкавшихся холопов:

— Не стойте, и так переулок перекрыли! Давайте скорей!

Игнорируя раздавшееся в ответ ворчание, женщина повернулась к собеседнице:

— Какая она ему жена?! Сбежались и разбежались!

— Так вы что-то об этом знаете?! Говорили, что Ирина как снег на голову свалилась и ничего вам не рассказывала!

Нина отмахнулась, ее лицо исказилось гримасой досады:

— Ничего и не рассказывала. Пару слов всего. Я так поняла, что эта дура в него влюбилась там, в Париже, и решила костьми лечь, чтобы он получил наследство после отца, а мне ничего не досталось! Но никакой свадьбы не было. Еще чего... Мужчины не так глупы, чтобы жениться на первой встречной, которая позволила себе заморочить голову! Сумасшедшая...

— Так в Париже был... настоящий Иван? — еле выговорила Александра.

Она окончательно убедилась в том, что Нина была осведомлена куда лучше, чем показывала, и теперь терзалась мыслью, что слишком самонадеянно вмешалась в ситуацию. «Ирина вчера выглядела, как человек, получивший сокрушительный удар... Если бы она была настоящей мошенницей, то держалась бы иначе... Она попросту не пришла бы упрекать меня! Постаралась бы скорее скрыться. Или отомстить мне. Но этот ее прощальный взгляд... Она смотрела как раненое животное, которое к тому же еще и пнули...»

— Настоящий, не настоящий, — после паузы, словно взятой для раздумья, проронила Нина. — Кто же знает, его давно уже тут нет. В любом случае, отца он бросил, а я была рядом.

— Но Ирина тоже...

— Она не в счет.

Словно ставя точку, Нина хлопнула в ладоши и пронзительно закричала, увидев, как грузчики небрежно вталкивают в кузов уже почти набитый до отказа гремящий ящик:

— Да тише вы, это же стекло! Люстра!

— Скажите... — обратилась к ней Александра, но та, с досадой обернувшись, крикнула:

— Не до вас сейчас! Шли куда-то, так идите!

...Каштан, еще безлистный, жадно простирал оголенные ветви в солнечный свет, плескавшийся в тесном жерле Малой Лубянки. Сидя в церковном дворе, на скамье в густой тени старой голубой ели, Александра острее ощущала легкое, невесомое тепло весеннего дня, то тепло, которое балансирует между минувшим холодом и грядущей жарой. Быстротечная пора, радость которой смешана с тревогой, с ожиданиями, которые, чаще всего, не сбываются...

«Тот, для кого делается алтарь, давно уже покойник...» «Вы знали, что у Ивана был старший брат, который умер совсем крошечным?» «Конечно... Вам Ирина сказала?» Глядя на веселый, ярко освещенный фасад церкви Святого Людовика, самые колонны которого, кажется, смеялись, Александра вспоминала фразу за фразой, оброненные то тут, то там, и все яснее становилось для нее несоответствие, которое не привлекло ее особенного внимания поначалу.

«А ведь Ирина знает то, чего не знает Иван. То, что знала только Нина. И знала она это до визита сюда, до получения справки из приходской книги. Справка ей была нужна для того, чтобы окончательно убедиться в своей правоте, вероятно, или убедить Ивана. Но что это значит? Нина с ней была откровенна? Ирина в курсе семейных дел полностью? Настолько, что, увидев готовую нишу, немедленно заметила, что это не "Бегство в Египет", а "Возвращение из Египта". Я не заметила, а она... Нет, она не случайный человек, не посторонний, здесь нечто большее, чем попытка мошенничества! Об этом говорит и реакция Нины в последний раз. Она не выгоняла Ирину! Она зла на нее, ее бесит само упоминание об Ирине, она пристрастна к ней, презирает ее за привязанность к Ивану... Но она не безразлична к ней! К Ивану — да, полностью, мне кажется, Нина не шевельнула бы и бровью, если бы узнала о его действительной смерти. Но Ирина ее бесит... А это не равнодушие, о, нет...»

Завидев входящего в калитку священника, уже знакомого ей, Александра торопливо поднялась и направилась к нему. Тот остановился.

— Вот, я опять к вам! — слегка задыхаясь от волнения, произнесла женщина.

— Очень рад вас видеть!

Священник произнес это с такой веселой улыбкой, что Александра не усомнилась — он и впрямь рад ее появлению. Это придало ей смелости, и она окрепшим голосом добавила:

— Мне очень нужно навести у вас еще одну справку...

Эпилог

Отставив чашку с остывшим нетронутым кофе, Александра взглянула на часы, висевшие над барной стойкой. Стас, сидевший напротив, поймал ее взгляд:

— Спешишь. Регистрация еще не началась. Говорил, что приедем рано.

— Ну, что поделаешь, дома не сиделось! Откинувшись на спинку стула, Александра провожала взглядом людей, снующих за стеклом кафе. Настроение у нее было приподнятым. Атмосфера аэропортов, вокзалов действовала на женщину, как бокал шампанского. Ее ждал Париж, город, свидание с которым всегда заставляло сердце учащенно биться. Московские дела были завершены, насколько это было возможно. Картины, взятые на реставрацию, вернулись к владельцам в пригожем, освеженном виде. Коллекция Натальи разобрана. Много времени это не заняло, та содержала и сами картины, и каталог в образцовом порядке, Александра лишь следовала ее указаниям. Большинство картин должно было появиться на ближайших аукционах Москвы и Петербурга. Уже сейчас на них поступали заявки, и половина лотов, по предположениям Александры, была все равно что продана. Остальное соответствующим образом оформлено, упаковано и сопровождало художницу в полете.

— Точнее, я их сопровождаю, — доверительно сообщила она Стасу. — Две Жанны Маммен, один Август Маке, и ...

— Дивная компания! — заметил скульптор.

Он залпом выпил вторую стопку водки и брезгливо покосился на стоявший рядом томатный сок, взятый в качестве закуски. Стас еще не был пьян, но взгляд его уже изменился. Александра, обычно не терпевшая, чтобы в ее присутствии злоупотребляли алкоголем, на этот раз даже не собиралась его останавливать. Скульптор, во что бы то ни стало пожелавший проводить ее в аэропорт, представлялся ей чем-то вроде символа оставляемой в Москве опостылевшей действительности. «Пусть напьется и закатит скандал, если ему угодно... — думала она, наблюдая за тем, как Стас масленым взглядом провожает садившихся за угловой столик девушек. — Я буду уже далеко... И высоко. Ах, как хорошо бывает оторваться от земли!»

Она вновь взглянула на часы:

— Если бы ты знал, как мне не терпится улететь... Можешь ехать, кстати! Я справлюсь сама.

Но Стас упорствовал. Он непременно желал проводить соседку, так, что та даже предположила, не кроется ли за такой неслыханной заботой некий подтекст.

— Ты, может, хочешь убедиться, что я улетела, чтобы обчистить мою мастерскую? — поинтересовалась она. — Или устроить там притон?

— Притон у меня у самого есть, а красть у тебя нечего. — Стас все же пригубил сок, страдальчески морща кустистые брови. — Слушай, я тоже в ближайшее время завяжу и уеду в какой-нибудь Париж. Даже Игнат смог! А ведь был совсем на дне! Я просто хочу тебя проводить, а то ты последнее время бродила на себя непохожая, вроде боялась чего-то... И все время ввязываешься в такие истории, что, того гляди, тебя за них убьют! По крайней мере, когда взлетишь, я буду за тебя спокоен!

— На этот раз мне никто не угрожал, — задумчиво проговорила женщина. — Хотя дел я натворила, сама того не желая.

Стас поднялся из-за столика и направился к бару, чтобы сделать очередной заказ. Александра, отпивая кофе, вновь возвращалась мыслями к событиям последних дней, о которых хотела бы забыть, но постоянно помнила. И когда скульптор, вернувшись, спросил ее, не скрывает ли она чего-нибудь скверного — такое у нее лицо, то Александра, встрепенувшись, ответила:

— Нет... Просто я виновата перед двумя людьми, но как извиниться и можно ли за это вообще извиниться — не представляю... Ирина отключила свой телефон, а как найти Ивана, я никогда и не знала.

И самое тяжелое, что моя вина есть и перед умершим человеком... Так что, остается только каяться.

— Мать, перестань! — Стас, бывший уже в курсе основных деталей истории, сделал отрицательный жест. — Ты же хотела спасти старика от мошенников. Стало быть, намерения у тебя были самые благие!

— Ну да, — уныло ответила Александра. — Сам знаешь, куда они ведут, намерения эти... Мошеннический-то план я разгадала... Но лишь частично, не полностью, вот что мне помешало понять его! Ну почему я сразу не сообразила взять вторую справку! Ведь речь шла о наследстве, и я должна была учитывать всех наследников! Как я могла свалять такого дурака!

Скульптор протянул руку:

— А покажи! Справка у тебя? Никогда не видел, как такие бумажки выглядят...

Александра раскрыла сумку, висевшую на спинке стула, и протянула сложенную бумажку. Пока Стас читал, она нашла и присоединила к ней вторую справку:

— Вот, полюбуйся. Когда я это прочитала, мне открылась вся картина... До этого я расчистила от лжи и недомолвок лишь половину и думала, что вижу все! Но главное оставалось скрытым, и я страшно ошиблась...

Даже сейчас она ощутила на своих плечах стылый воздух церкви, как в тот день, когда получила вторую справку.

...Народу не было вовсе, лишь за синтезатором, у ног статуи Святого Антония Падуанского, сидела женщина в наброшенном на плечи пальто и, подбирая мелодию, вполголоса разучивала гимн. Стоя в ризнице возле конторки, Александра следила за перелистываемыми страницами большой приходской книги. Отчего-то ее томила мучительная жажда — она то и дело украдкой облизывала вдруг пересохшие губы.

— Вот, — словно издалека донесся приглушенный голос настоятеля.

В тот день он оказался в церкви, и Александра даже не удивилась этой удаче, без которой она не получила бы справки. Для художницы наступил один из тех моментов, когда она, ведомая интуицией, шла напролом и обстоятельства складывались в ее пользу.

— Кажется, это. Нина Брониславовна Ткачук.

— Да... — чуть слышно вымолвила Александра.

— Родилась 19 апреля 1963 года... Крещена 20 июня того же года... Это все?

Остановившись, священник вопрошающе смотрел на женщину. Александра сглотнула слюну. «А лгала, что не имеет никакого отношения к этой церкви! Ее тут крестили!»

— Нет, нужно узнать еще кое-что... О другом человеке. — Она подняла на священника взгляд и не отвела его. — Правда, у меня мало сведений... Только год рождения и имя...

...Стас протянул ей выписку обратно:

— И что ты этим доказала?

— Главное! Что Ирина — дочь Нины! — Художница бережно сложила обе справки и вновь спрятала их. — Настоятель перерыл для меня все приходские записи о крещении за восемьдесят пятый год. К счастью, я вспомнила, как при нашей первой встрече Ирина мельком упомянула свой возраст, в том контексте, что рано-де карьеру бросила! Проверил всех родившихся тогда Ирин... И нашел среди них ту, чьей матерью была записана Нина Брониславовна Ткачук! Я едва на ногах устояла, когда услышала это! Хотя предполагала, что права в своих догадках. Так терзать друг друга могут только самые близкие люди!

— А что эти бабы задумали? Зачем морочили голову старику и скрывали, что они мать и дочь? — недоумевал Стас. — И как он вообще не знал, что Ирина его племянница?!

— Вероятно, он интересовался ею так же мало, как самой Ниной. Та жила на окраине и до самого последнего времени не общалась с Гдынским. Может быть, вовсе не знал, что у Нины есть дочь, а может, не соотнес этот факт с появлением в квартире «жены Ивана», тем более у Ирины другая фамилия, Митрохина — очевидно, отцовская. Но суть аферы мне стала полностью понятна! Разыграно нагло, как по нотам. Законный наследник самоустраняется со сцены, уехав работать за границу. Поскольку он, в силу разных неприятных обстоятельств, не может приехать к отцу, начинается трагифарс. Является его мнимая жена. Она наводит свои порядки, выбрасывает мнимую соперницу из дома, всячески напоказ (и явно переигрывая!) с нею враждует, препятствует общению отца и сына. Нина подыгрывает ей, наводя Гдынского на самые худшие опасения. Старика загоняют в угол: в конце концов, он должен будет выбрать, кому из них все отписать. Не то Ирине, которой не доверяет, — чтобы все досталось сыну, не то Нине, которую терпеть не может, — чтобы имущество осталось в семье. Каждая вроде бы тянула одеяло на себя, а, по сути, результат был бы одинаковым. В любом случае все доставалось им... Кого бы он ни выбрал! Обе хуже, что называется.

— Ну, так оно и вышло! — усмехнулся Стас, с интересом выслушавший историю. — Одна из них все и получила, теперь поделится с дочкой. Разве можно было чему-то помешать? И в чем тебе раскаиваться?

Александра с досадой взглянула на него поверх чашки, поднесенной к губам:

— Досталось, да не той!

— То есть, они все же были не заодно?

— Вначале, безусловно, были! — кивнула женщина. — Разумеется, это целиком план Нины. Она была очень обижена на родителей за то предпочтение, которое они оказывали Марии, старшей сестре, отдав ей квартиру в центре, дачу, а ее саму обделив самым несправедливым образом. Думаю, все эти годы

Нина мечтала о реванше. В восемьдесят третьем году Мария родила сына, но ребенок умер, не прожив и месяца. Нина говорит, что помогала сестре ухаживать за мальчиком, когда их привезли из роддома... Не знаю уж, к чему свелась эта помощь, мне страшно представлять некоторые вещи, хотя я давно живу и многое вижу... Если младенец слабый, а мать нездорова, то чужие недобрые руки могут сделать многое, сделав очень мало...

— Ты думаешь, она... — Стас прищелкнул языком, не закончив фразы.

Александра медленно опустила ресницы:

— Я знаю лишь, что мальчик не прожил и месяца. Вскоре после этой трагедии Мария с мужем уехали на Урал — на место работы Гдынского. Там у них в конце того же года родился уже вполне здоровый сын, который впоследствии дожил до тридцати, это уж точно. Но мать была безутешна. Она погрузилась в свое горе, и тогда, будучи в отъезде, и создала свой «алтарь тристана».

— Почему Тристана-то? — поинтересовался Стас. Рассказ завораживал его, как ребенка, у него даже рот приоткрылся, до того он внимательно слушал.

— Думаю, это перевранное «алтаре тристецца», «алтарь печали», — художница пожала плечами. — Ни единого Тристана в этой истории нет, как нет и Изольды. Мария умерла в Москве, в восемьдесят пятом году. В том же году Нина родила дочь. Вероятно, отношения с мужем у нее не сложились, или же мужчина ограничился тем, что дал ребенку свою фамилию. Но ситуация после смерти старшей сестры оставалась в пользу Гдынского. Тот получил все и воспитывал сына в прекрасных условиях. Нина маялась с дочерью в комнате на окраине. Характер у нее отнюдь не кроткий. Она ждала реванша... И пора пришла, когда Иван уехал, а Гдынский тяжело заболел.

Женщина замолчала, следя за тем, как Стас шарит по карманам куртки, достает сигареты, закуривает. Она вспоминала свои ощущения во время первой встречи с Гдынским. Тогда в самой атмосфере квартиры было нечто невыносимо напряженное, натянутое, словно струна. «Или нить паутины, — уточнила про себя Александра. — Нити двух паутин, в каждой из которых сидело по пауку и каждый был готов схватить жертву. Пауков они мне и напомнили тогда, Нина и Ирина, обе одинаково, хотя были такими разными! Ирина — утонченная, нервная, Нина — грубоватая, приземленная, кажется, вовсе без нервов. Два паука и одна добыча, уже загнанная, бессильная, но все еще питающая слабую надежду на освобождение...»

— Вероятно, Ирина и в самом деле работала в Париже и встречалась там с Иваном, — произнесла она после паузы. — Быть может, Иван и поехал во Францию не на пустое место, а с подачи родственницы. Но настал момент, когда Нина поняла, что намного выгоднее заполучить наследство, чем копить деньги по грошам. Надо было лишь держать на расстоянии отца и сына, вплоть до смерти Гдынского. Истории про просроченную визу безусловно ложь. А вот работа, для того чтобы разобщить сына с отцом, велась большая. Нина говорила, что перед расставанием они сильно повздорили. Дело осложнялось тем, что старик вскоре потерял слух, а вместе с ним возможность говорить по телефону. Писем они не писали, новейшими технологиями связи не пользовались. Старик по незнанию, вероятно, Иван — по нежеланию. Кто знает, какие приветы ему передавали из Москвы тетка и двоюродная сестра?! К чему, скажем, ими бралась эта справка о крещении первенца?

— К чему же? — Поперхнувшись дымом, Стас яростно раздавил сигарету в пепельнице и обернулся к стойке бара. — Взять еще...

— Ты уж хорош, посиди. — Александра легонько ударила его по руке, и скульптор послушно, словно ребенок, которого одернула мать, остался на месте. — Скорее бы Марья Семеновна вернулась, а то пропадешь ты один!

— Невелика пропажа... — Стас все еще откашливался. — Так зачем эта справка о крещении первого ребенка? Мне вот невдомек.

— Он тоже был Иван. Иван Первый и Иван Второй. Тебя бы не обидело, если бы тебе дали имя умершего брата, о котором ты все эти годы даже не знал?

Стас нахмурился:

— Может, я не настолько тонко организованная натура... Нет, ничего, не обиделся бы!

— Ну а меня бы это задело!

— Ты в семье одна? — с улыбкой спросил он, а когда Александра кивнула, сообщил: — А я третий! Батя страшно пил, мать одна работала и нас всех тянула. В большой семье, знаешь, эти поединки самолюбий не очень-то в ходу. Там главное — выжить и успеть ложкой в миску залезть, а кого в честь кого назвали, плевал я с высокой ветки...

— Ну, а эти знали, что делали! Иван-то был единственный сын, выращенный отцом единолично, даже без мачехи... Что о многом говорит! Гдынский не пожелал жениться после смерти жены, хотя мог бы, конечно, облегчить себе жизнь. Но, вероятно, не хотел усложнять ее сыну.

— Может, просто жену очень любил, — пожал плечами Стас. — Бывает любовь, один раз и навсегда. Что ты на меня так смотришь?

— Странно и удивительно, что именно ты рассуждаешь о подобной любви, — улыбнулась Александра. — Что ж, все возможно... Я верю, конечно, в роковую страсть, в вечную верность... Но в романах, не в жизни. Жизнь... тусклее нарисована, что ли?

— Что ж, ты думаешь, эта справочка могла и дальше держать Ивана на расстоянии, притом, что он знал о болезни отца? — Стас словно не заметил ее скептического высказывания, и это удивило женщину вдвойне. Александра поняла, что скульптор, которого она привыкла считать циником, задет.

— Вполне вероятно. Зависит от его самолюбия... Погоди... — Она прислушалась к голосу, льющемуся из динамиков, и вскочила: — Регистрация началась!

— Посиди еще. Народ схлынет, — скульптор почти насильно усадил ее обратно на стул. — Успеешь в свой Париж. Ну и чем ты могла помешать этим аферисткам? Они бы так и так своего достигли, если бы не появился сынок. А раз сынок не появился...

— Ирина была в него влюблена!

Стас откинулся на спинку стула и некоторое время молчал, сощурившись и созерцая нечто, видимое только ему одному. Потом проронил:

— А она интересная... Очень.

— Ты находишь интересными всех вдов, которые заказывают памятники мужьям! — бросила Александра. — Ирина в самом деле может нравиться, и сильно. Насколько она увлекла Ивана, неизвестно... Во всяком случае, вероятно, влияние она на него имела, раз он доверился ей, а сам не торопился в Москву.

— Но он-то знал, что она его родственница? Как по-твоему?

— Ты всех своих кузин знаешь наперечет? В лицо и по фамилии? — вопросом ответила Александра.

— Боже упаси! — Стас перекрестился. — Я вообще стараюсь с родней не контактировать. Но тогда это что же... Инцест? Роковая страсть?!

— В былые времена такие отношения инцестом не считались. И что там было на самом деле, мы не знаем. Но она была в него влюблена, переживала разлуку, и мать, не без моего участия, кажется, оценила масштабы катастрофы и поторопилась присвоить наследство. Ведь в противном случае ее план мог не сработать. Ирина явно не собиралась на последнем этапе выполнять волю матери, а хотела все отдать Ивану. В обмен на его любовь, вероятно, как ни печально это звучит. Некоторым людям приходится покупать любовь... Даже если они молоды, красивы, желанны. Мать не позволила ей сделать такую глупость, а насторожила Нину, опять же, я... Быть может, если бы я не обратила ее внимание на то, насколько Ирина предана своему «сообщнику», мать так и не оценила бы степени ее привязанности... Так что получается, я помогла не тем...

— А я рад за Нину! — неожиданно заявил Стас. — Знаешь, столько лет ждать реванша, а на финише получить пинка от своей родной дочки, это... Словом, я рад! Так и передай ей при встрече!

— Надеюсь, я ни с кем из них никогда больше не встречусь. — Александра поднялась, перекинув через плечо ремень небольшой сумки, с которой всегда путешествовала. — В самом деле пора. Пока то да се... Ты не засиживайся здесь.

— Соображу... Поболтаю тут вот с этими нимфами...

Скульптор тоже поднялся, не переставая бросать выразительные взгляды на девушек за угловым столиком. Те, давно обратив на него внимание, вовсю ломались и хихикали. Устрашающий вид скульптора вовсе их не отталкивал. Девушек не пугали ни всклокоченные кудри, ни лоб, пересеченный шрамом, который сейчас, после возлияний, еще больше побагровел, ни потрепанная одежда, висевшая на его широких плечах. Александра сравнивала женское признание, которым неизменно пользовался Стас, с авторитетом наглого, искалеченного в уличных боях одноглазого кота, который выбирает себе любую подругу, щеголяя своим уродством перед ухоженными и робкими домашними соперниками. У Стаса был вид человека, готового немедленно ввязаться в драку, что неотразимо действовало на некоторый тип женщин.

— Ну, оставайся тогда. — Она не удержалась от улыбки. — Не нарвись только на каких-нибудь сопровождающих нимф сатиров... Хотя кому я говорю! Пока!

— Счастливо! — Стас устремился было к столику с хихикающими девушками, но вдруг опомнился и поднял пакет, прислоненный к ножке стула, на котором только что сидел. — Не забудь, это твое.

— Да что ты? — удивилась женщина. — Впервые вижу. Где ты это взял?!

Она испуганно огляделась, решив, что Стас, по свойственной ему беспечности и широте натуры, прихватил пакет у какого-нибудь замешкавшегося пассажира. Но скульптор ее разуверил в этом, сообщив, что путешествует с пакетом от самого дома.

— Когда я за тобой зашел ехать в аэропорт, ты взяла сумку со стула, а рядом стоял пакет, и я решил, что ты его тоже берешь, вот и прихватил. Да не беда, отвезу обратно! Ключ ведь ты мне оставила, Цирцею кормить, впускать-выпускать.

— Погоди... — У нее сильнее забилось сердце. Расстегнув пластиковые клипсы, на которые защелкивался пакет из плотного полиэтилена, она увидела лежавший сверху свернутый клетчатый плед. Осторожно пошевелив его, Александра обнаружила завернутые в плед книгу и пластиковый футляр с очками. «Это забыла у меня Ирина! Она пришла с пакетом из больницы и бросила его у меня, когда уходила сама не своя... А я и внимания не обратила... Это вещи покойного!»

— Да я отвезу!

Стас порывался вырвать у нее пакет, но Александра, выпрямившись, отстранила его:

— Не надо, возьму с собой. Даже хорошо, что ты его прихватил. Иди, мне и в самом деле пора.

...Все время, пока она проходила регистрацию, паспортный контроль, ожидала посадки, равнодушно глядя на витрины магазинов беспошлинной торговли, ее не покидало ощущение, что она везет нечто запретное, недозволенное, к чему не имеет права прикасаться. Вероятно, у нее было такое напряженное лицо, что таможенник изучал ее паспорт дольше обычного. Наконец, оказавшись в салоне, она уложила сумку на багажную полку и села на свое место, которое было у окна. Пакет Александра поставила у ног, хотя сперва намеревалась разместить ручную кладь иначе. Едва самолет, взлетев, набрал высоту и можно было отстегнуть ремень, она вновь открыла пакет и на этот раз внимательно ознакомилась с его содержимым.

Плед, очки в футляре и книга — издание тридцатых годов прошлого века, тоненькая, в картонной коричневой обложке с истрепанными углами. Больше в пакете ничего не оказалось. Очки и плед Александра бережно уложила обратно. У нее было ощущение, что эти вещи еще хранят тепло тела умершего, память о нем. Хранят лучше, чем наследники, с горечью подумалось ей. Положив книгу на колени, Александра некоторое время сидела, глядя в иллюминатор.

День был ясный. Земля внизу давно превратилась в схему, в мир хотя и полностью готовый к появлению человека, с зеленеющими полями правильной формы, с дорогами и белеющими городами, с мостами через реки, блистающими на солнце, — но без самих людей. Подняв глаза, Александра увидела облака. Она смотрела на них неотступно, и наконец облачная легкая тень мелькнула за иллюминатором. Самолет поднялся над белым полем, развороченным незримым огромным плугом, оставившим глубокие борозды, груды вздыбленной облачной плоти, ямы, в которых виднелась уже почти бесцветная, словно вылинявшая земля.

Тогда Александра раскрыла лежавшую на коленях книгу. Это был альманах советских поэтов. Такой род литературы никогда ее не интересовал. И все же, проглядев оглавление, она невольно остановила взгляд на названии одного стихотворения. Художница изумленно перечитала его раз, другой, желая убедиться, что здесь нет никакой ошибки...

— «Надпись на гробнице Тристана и Изольды»! Александр Кочетков, тысяча девятьсот двадцать девятый год, «Надпись на гробнице Тристана и Изольды»!

Привыкнув говорить с собою вслух, она громко прошептала название, отчего сосед, только что начинавший засыпать, широко открыл глаза и покосился на нее вопросительно. Александра прикусила губу и далее читала молча.

Когда, в смятенный час заката,
Судьба вручила нам двоим
Напиток нежный и проклятый,
Предназначавшийся другим, —

Сапфирным облаком задушен,
Стрелами молний вздыбив снасть,
Корабль упругий стал послушен
Твоим веленьям — Кормщик-Страсть.

И в ту же ночь могучим терном
В нас кровь угрюмо расцвела,
Жгутом пурпуровым и черным
Скрутив покорные тела.

Клоня к губам свой цвет пьянящий
В сердца вонзая иглы жал,
Вкруг нас тот жгут вихрекрутящий
Объятья жадные сужал.

Алтарь Тристана

Пока, обрушив в душный омут
Тяжелый звон взметенных струй,
Нам в души разъяренней грома
Не грянул первый поцелуй.

О, весны, страшные разлуки!
О, сон, беззвездный наяву!
Мы долго простирали руки
В незыблемую синеву.

И долго в муках сиротели,
Забыты небом и судьбой,
Одна — в зеленом Тинтажеле,
Другой — в Бретани голубой.

И наша страсть взалкала гроба,
И в келье вешней тишины
Мы долго умирали оба,
Стеной пространств разделены.

Так, низойдя в родное лоно,
Мы обрели свою судьбу,
Одна — в гробу из халцедона,
Другой — в берилловом гробу.

И ныне ведаем отраду
Незрячей милости людской.
Нас в землю опустили рядом
В часовне Девы пресвятой.

Чтоб смолкли страсти роковые,
Чтоб жар греха в сердцах погас,
Алтарь целительной Марии
В гробах разъединяет нас.

...Но сквозь гроба жгутом цветущим
Ветвь терна буйно проросла,
Сплетя навек — в укор живущим —
В могилах спящие тела.

Закрыв книгу, Александра несколько минут смотрела на ослепительно белое облачное поле, вспаханное незримым пахарем, готовое для сева. Зажмурившись, устав от белизны, она почувствовала, как под веками вскипают слезы. Здесь, над облаками, во время разлуки с землей, ей проще было поверить в вечную любовь.